データサイエンスが拓く未来

名市大ブックス 18

名古屋市立大学 編

NCU

データサイエンスが私たちの暮らしにもたらすものは？

名古屋市立大学データサイエンス学部　学部長　三澤　哲也

いまや私たちの生活に欠かせない必需品となったスマートフォン、連日のようにマスコミを賑わせている生成系ＡＩなど、いわゆる情報通信技術の驚異的な進歩とともに、わが国においても社会の急速なデジタル化が進んでいることは、皆さまもネットを使った様々なサービスの利用を通じて実感されておられるのではないでしょうか。実はこうした社会の変革の中で、多様かつ大量のデジタルデータ、いわゆるビッグデータがネット上に存在するようになり、それとともに「データサイエンス」という学問が注目され、その言葉を耳にする機会も多くなりました。

データサイエンスとは、ビッグデータに代表される各種データを一種の社会的な「資源」とみなし、データに関する古くからの学問である統計学や、ＡＩに代表される高度な情報技術、さらにはそれらの根底にある数学などを駆使し、データから新たな知見を見出すことで、社会の様々な課題にアプローチする学問とされています。

この学問はデジタル化を通じて社会のあらゆる分野でデータが扱われることから、分野横断的学問とも認識されており、その専門人材の養成、研究や社会との共創拠点が社会から求められています。こうした背景のもと、令和5年4月、名古屋市立大学における8番目の学部としてデータサイエンス学部が設置されるに至りました。

今回の名市大ブックスでは、データサイエンスが皆さまの暮らしにより身近に感じていただくことを目的として、データサイエンスならびに関連するAI等の情報技術によって世の中や私たちの暮らしがどう変わる（変わった）のかについて紹介すべく企画しました。執筆テーマについては、データサイエンス学部教員はもとより、大学内・外の関係の方々にもご協力いただき、特にデータサイエンスの実務への活用に重点を置いて選定しております。具体的には、行政分野、医療分野、ビジネス分野、環境分野へのデータサイエンス活用について以下の話題を取り上げています。

行政分野については、デジタル化によるまちづくりに関する事例を含めた話題を2つ、政策立案におけるデータ活用の話題を2つ、および法律文書のデジタル化とそのデータサイエンスに関する話題を1つ、あわせて5つの話題を紹介します。

医療分野については、各種報道機関でも頻繁に取り上げられた、

ＣＯＶＩＤ―19に代表される感染症対応へのデータサイエンスの話題を提供します。

ビジネス分野からは３つ。製造業現場におけるデジタルデータ活用事例、同じく各種人体センサーを使った熟練工の動作データ分析とその活用、および会計分野におけるＤＸ化の話題を取り上げます。最後に環境分野については、太陽風の影響に代表される宇宙天気のデータサイエンス、データを通じた気候変動と農業の研究、デザインにおけるデータ活用という３つの話題を紹介します。

いずれのテーマも、暮らしに関連のある話題から今後も見据えたデータサイエンス活用事例を扱っております。ご一読いただき、皆さまにデータサイエンスへの親近感や関心を持っていただける一助になれば幸いに存じます。なおデータサイエンスや名市大データサイエンス学部にかかわる短いコラムも３つ設けております。そちらもどうぞお楽しみください。

最後に、今回ご執筆いただきました学外の皆さまは、データサイエンス学部がオムニバス形式で全学に提供している共通科目「データサイエンスへの誘い」にご協力いただいております団体・企業の方々です。ご多用にもかかわらず、今回の企画にご高配賜りましたこと、この場をお借りして厚く御礼申し上げます。

目次
Contents

デジタル社会の未来、共に紡ぐ「まちづくり」への誘い

日本電信電話株式会社研究開発マーケティング本部
データサイエンス学部非常勤講師
／Salzburg Global Fellow
大成 洋二朗

「サステナブル」、「Well-being」、「まちづくり」という言葉を聞いたことはありますか？ これらは私たちが日々の生活で直面する重要なテーマです。最も身近だからこそ、何千年も前から追及されてきたこのテーマ。「幸福／幸せ」の基礎となる「まちづくり」、その探究の現在地についてお話ししたいと思います。

「まちづくり」の魅力

「まちづくり」とは都市や市町における生活の質を維持、向上させ、地域の魅力や活力を高めるために、そこに暮らすコミュニティや住環境に対して働きかける持続的な活動のことです。

私は5年前から「まちづくり」に関わってきましたが、「まちづくり」の魅力は「自由に人と共同して未来を紡ぐこと」だと思います。

実は私の義父は室町時代より日本で大流行した連歌の宗匠をしており、先日そ

の世界に触れることで連歌の魅力を学ぶ機会を得ました。そのとき私は「まちづくり」と「連歌」には、自由に人と共同して紡ぎあげるという過程において共通点があるのではないかと感じました。

連歌は「場の文学」として知られています。さまざまな階級や技能、得意分野を持つ人が、その小さな空間に集い、おもしろい句をみんなで協力して紡ぎあげていくのです。そこがまちづくりと共通していると思います。

尾張愛知といえば数多くの有能な戦国武将が生き抜いてきた場所ですが、戦国武将にとっても連歌は馴染みの深い文化だったようです。連歌は茶道と共に、戦国武将たちが乱世を生き抜くために対話と文化を育むための欠かせない政治的ツールでもあったのです。

連歌の大きな特徴は他の文学と違い、明確な作者がいないことです。著名な人から無名な人まで職種や階級に関わらずその場にいる人たちが、みんなで一つの作品を作り上げるけれども、その作品には作者名がつくわけではないというところも、また「まちづくり」と似ていると思います。

しかし、その名前のない作品である「連歌」と「まち」は、その場にいる人たちの個性が確実に反映されています。それがまた、「連歌」の良さでもあり、「まちづくり」の良さでもあります。うまくいっている「まちづくり」には、まさにそこに集う人々の個性あふれる熱気やエネルギーが宿るのです。

そんな街が今、日本全国に生まれつつあることに私は喜びを感じています。

実際に私は２０２３年12月まで、サステナブル・スマートシティ・パートナー・

図表1

再生された滝野川稲荷湯長屋。近隣住民によるDJイベントや子ども向けのアート教室、ボードゲームの集い、出張飲食店なども行われ、地域コミュニティ交流の場に。

（写真提供:一般社団法人せんとうとまち）

プログラム（以下ＳＳＰＰ）のディレクターを務め、国内外の３００以上の都市事例を調査し、さまざまな社会課題やチャレンジを分析し、現地を訪れ、意見交換をするなどもしてきました。その中から、コミュニティの再生や活性化という観点で、規模の大小問わず、私が大好きな取り組みをいくつかご紹介いたします。

全国の様々な取り組み事例

◎「銭湯×まちづくり／東京都北区」（一般社団法人せんとうとまち）

もともと銭湯はコミュニティ交流の場であり、銭湯の周りは商店も多く、床屋や豆腐屋など人が集まる賑やかな場所でした。そんな場所には今でも人々が集まり賑わうことをポジティブにとらえる住民も多く暮らしているため、そのことに着目し、銭湯のみならずその周辺の地域を共に再生する活動を行っています。

例えば滝野川稲荷湯（東京都北区）を再生したプロジェクトでは、滝野川稲荷湯を国の登録有形文化財申請し、その後、ワールド・モニュメント財団へのアプローチを行いアメリカン・エキスプレスと財団の支援を得て再生に成功しました。引き続き銭湯を拠点とした多世代交流の再生・活性化に取り組んでいます（図表１）。

◎「地域固有の資源×まちづくり／大分県別府市、国東市」（「地域の色・自分の色」研究会）

その地域にしかない固有の資源を、「色」という視点で掘り起こし、小学校な

図表2　鬼石坊主地獄の泥で小学生が描いた作品

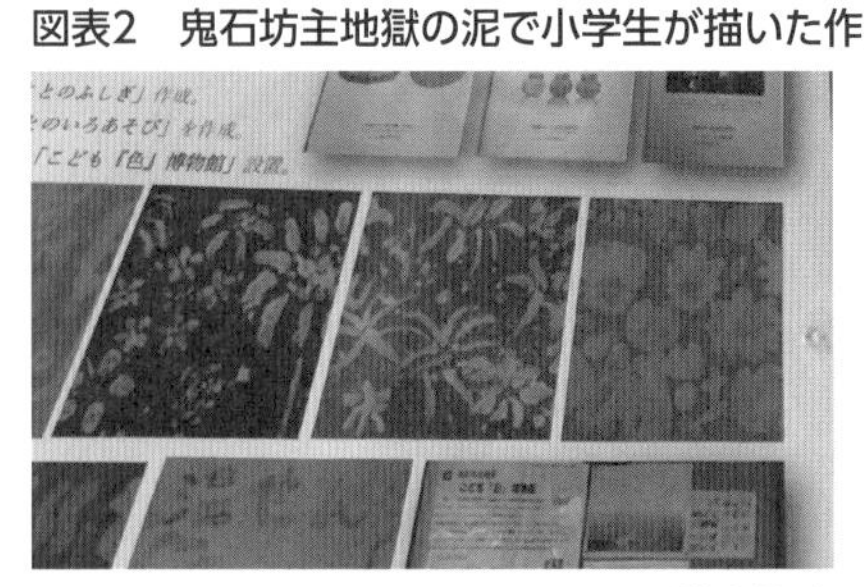

（著者撮影）

図表3　鬼石坊主地獄と血の池地獄

（写真提供:「地域の色・自分の色」研究会）

どの「ふるさと学習」に活用しているのは「地域の色・自分の色」研究会（大分市）https://museum.o-iro.jp/です。一つは別府市の温泉「鬼石坊主地獄・血の池地獄」の灰色の泥や赤い泥を教材とする「地域の色を活用したふるさと学習」です。泥の性質を調べ、泥で絵を描いたり布を染めたりなど、地元ならではの特別な体験を小学校などの授業に取り入れています。

もう一つは国東地方だけで生産されている「七島藺（しちとうい）（琉球畳の材料）の生育体験」です。こうした地域固有の資源を活用した「ふるさと学習」は、郷土愛を育むと同時に大人顔負けの知識を得ることにより、子どもたちの自己肯定感を高めることにつながっています。地域固有の資源を守るだけではなく、地域の方々が、地域ぐるみで活用までできている好事例と言えると思います（図表2～5）。

◎「ＵＤｅ－Ｓｐｏｒｔｓ×まちづくり／熊本県合志市」（一般社団法人ＵＤｅ－Ｓｐｏｒｔｓ協会）

「やっぱり楽しくないと人は集まらないし、笑顔にはなれない。」そんな気持ちを改めて実感したのが、この「ＵＤｅ－スポーツ」との出会いでした。「ＵＤｅ－スポーツ」とは、「ユニバーサルデザイン」と「ｅスポーツ」を掛け合わせたものです。理学療法士のメンバーが高齢者でも障がい者でも簡単に楽しめるように開発しました。

実際に熊本県合志市で、60代～90代の方々が集まってオンライン市町村対抗戦を行っています。小さな公民館は想像以上の大声援で熱気にあふれかえっており

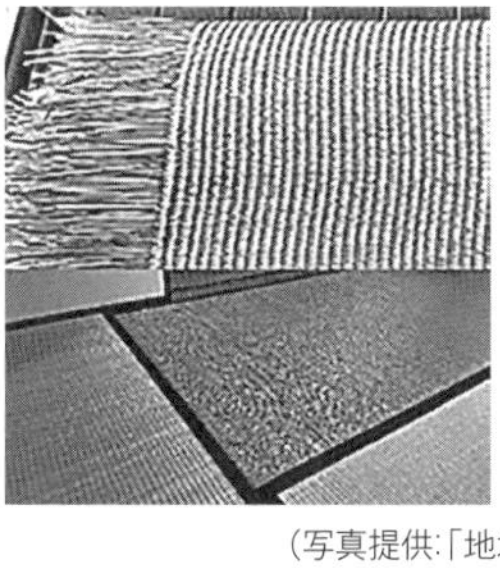

図表4　七島藺の生育体験模様

図表5　七島藺で編んだ畳表と畳

（写真提供：「地域の色・自分の色」研究会）

本当に驚きました。

「UDe‐スポーツ」を通して行われる注意力検査（トレイルメイキングテスト）では76％の参加者において注意力の改善がみられたとのことです。また対抗戦などの交流の場は、外出のきっかけになるとともに本人にとっても良い刺激になり、認知症予防だけでなく鬱病の予防など様々な健康的な効果が期待できる上、コミュニティの活性化にも貢献しているようです（図表6・7）。

◎「データ×まちづくり／愛知県岡崎市」（岡崎市）

ご当地愛知県の岡崎市ではデータを非常にうまく活用した「まちづくり」が行われています。例えば夏の花火大会では一晩で約50万人が集まるため、3D-LiDARというレーダーを使った位置測定機器を配置して、人流をリアルタイムに把握し、安全確保のための警備計画にデータを活用しています。

また商店の連なる街路の人通りを表すデータを公開し、歩道空間や空き店舗に出店を促す仕組みも行っています。これらデータの活用と自治会と民間企業、行政が一体となって地域を盛り上げる活動により5年連続平均約10店舗の出店を達成しています。

このほかにもデータを活用したシェアサイクル事業の成功など、多くの成功事例を生み出しています（図表8・9）。

◎「リモート空間共有×まちづくり」（一般社団法人ｔｏｎａｒｉ）

図表6

誰もが楽しめるようにと、理学療法士メンバーにより開発されたシンプルな設計

図表7

拍手喝采、熱気あふれる対抗戦の模様

（写真提供：一般社団法人 UDe-Sports協会）

等身大の大型スクリーンを通したリモートコミュニケーションツール。何十kmも離れている相手なのに、同じ部屋にいるように錯覚するほどです。目線やジェスチャーなどノンバーバルコミュニケーションも可能なため、双方の言葉が重なりながらもスピード感がある会話が楽しめます。都市と地方の相互交流をストレスなく実現する体験は本当にわくわくします。

実際に伊豆大島のコワーキングスペースに導入され、東京大手町オフィスラウンジと繋げ、離島と都市のリアルタイムコミュニケーションを実現させています。また大学などでも北海道と東京のキャンパスを繋げ、学生同士の新しいコミュニケーションづくりにチャレンジしています。都市間協働という観点からも、離れた場所をつなぐコミュニティ形成は、今後の地域活性化に欠かせないソリューションになると期待しています（図表10）。

「まちづくり」に必要なメソッド

これまで見てきたように素晴らしい「まちづくり」には、そこにいる人々の個性や柔軟なアイディアが必要です。しかしそれだけでは素敵な街は作れません。これもまた連歌に例えることができます。

いくら才能や個性があっても連歌のルールもしきたりもわからず、やたらめったら五七五を繰り返しても、良い作品にはなるわけではありません。連歌にも一定のルールがあり、逸脱しようとするものをある程度ルール内に収めて、その場

図表8

最も混雑の危険性が高い橋に3D-LiDARを配置して人流を把握

図表9

活用可能な歩道空間の紹介と共に、当該エリアの人通りのにぎわいを掲載したHP

を成立させる役割が必要になります。連歌には宗匠という役割があり、宗匠がはじめに発句を作ることで、連歌が一つの作品となるように裏でその場をまわしているといえます。

「まちづくり」にもうまく事が進むように基礎となるメソッドがいくつか必要だと考えています。そのメソッドづくりこそが、私がずっと取り組んできたことです。このメソッド（デザインツール）を活用すれば、あとはその場にいるみんなが柔軟に個性を発揮しつつ協力することで、素敵な街ができあがるという具合です。

ただし大事なのは、このメソッドはあくまで「まちづくり」の基礎だということです。

「まちづくり」はその場にいる人々が主体であるべきです。その場にいる人々がメソッドという安全な下敷きを元にして、柔軟に力を発揮することで、個性豊かな歌のような素晴らしい「まちづくり」が可能になると考えています。これらこそが、私が心血を注いできたことなのです（図表11）。

メソッドを活用した「まちづくり」事例

実際に、このメソッドを活用して学校や自治体と協力して、「まちづくり」に関するワークショップを各地で開催しました。

一つの例として鳥取県の青翔開智高等学校では、地理探究の授業でこの手

図表11 「まちづくり」メソッド

①「まちづくり」フレームワーク（国際規格）
・国内外の成功モデルからつくられた「まちづくり」のお手本の活用

②データ活用による「まち」の健康診断
・都市機能の客観評価および住民の幸福感、満足感を可視化

③「まちづくり」の担い手育成
・多様なステークホルダと合意形成を行い「まちづくり」を推進できる人材

これら3つのメソッドは国際規格等を参考にしつつ、国内事情にあわせて整理

図表10

大型モニターを通じて空間を共有することで、距離を感じないコミュニケーションが可能

（写真提供:一般社団法人tonari）

法を導入し、ワークショップ後のアンケートでは、9割以上の学生が街の魅力を新たに発見することができたと回答し、同じく9割以上の学生がデータ活用に価値を感じたと回答をしています。

これらのメソッドを活用すれば、専門知識がなくても一般市民が「まちづくり」に関与し、議論に参加できるようになります。

これはまさに、「まちづくりプロセスの民主化」の実現です（図表12）。

私の真の希望はより多くの人々が自分の街を理解し、考え、そして「まちづくり」に参加することです。これは専門家や政府だけの問題ではありません。住民や学生など誰もが参加する権利を持っています。「1人の10歩よりも、10人の1歩」が大切です。街のことを知り、共に考え、街の未来を築いていくことを期待しています。

今後も私は「まちづくり」に関わる多くの人々と、笑顔を生み出す取り組みに参加したいと思っています。この論考が全国の「まちづくり」に携わる皆さんの一助となれば幸いです。

なお、本誌掲載情報は執筆時点での情報をベースに記載しています。

最後にこのように大変貴重な寄稿の機会を横山清子先生はじめ、関係者の皆様に頂戴いたしましたこと深く感謝を申し上げつつ、今後も名古屋市立大学の学生をはじめ、全国の皆様とわきあいあいと歌を紡ぐかのように共に明るい未来を創っていけることを楽しみにしています。

図表12

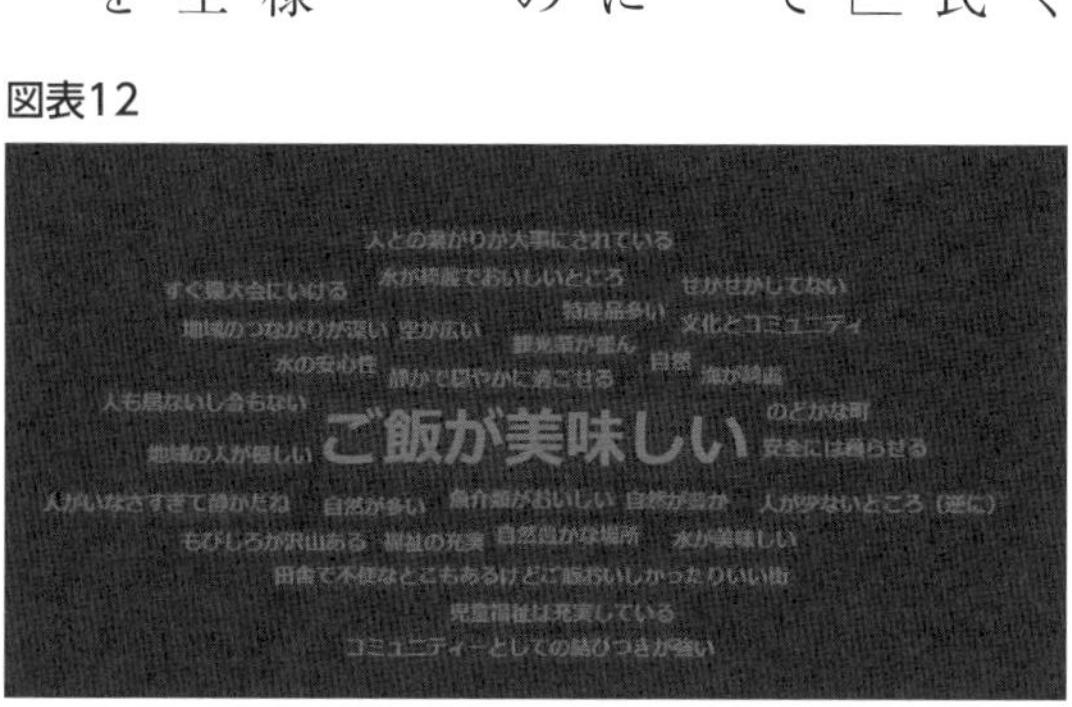

高校生がワークショップ後に発見した鳥取市の魅力

まちづくりの新たなパートナー

岡崎市役所 総合政策部デジタル推進課／GLOCOM客員研究員／総務省地域情報化アドバイザー
データサイエンス学部非常勤講師
鈴木 昌幸

これまで岡崎市は、まちづくりの様々な場面でデータを活用してきました。その経験から、データはまちづくりの新たなパートナーになり得るのでは？と思うようになりました。今回は、そんな風に感じられたデータ活用事例を3つ紹介します。

温度感の調節

さかのぼること3年前、ＮＨＫ大河ドラマ「どうする家康」が２０２３年に放送されると発表されました。また、徳川家康公生誕の地（岡崎城）を含む岡崎公園に「大河ドラマ館」が設置されることになりました。そこで、当時の市内関係者に２つの大きな気持ちが湧いてきます。

１つは期待、「来街者が増えて経済効果を掴むチャンスだ」という気持ち、もう１つは不安、「来街者が増えて渋滞がひどくなるピンチだ」という気持

図表1　平日のエリア来訪者数

(人)
3400
3200
3000
2800
2600
2400
2200
2000
0 1 2 3 4 5 6 7 8 9 10 11 12 13 14 15 16 17 18 19 20 21 22 23
(時)
最大1.1倍
開設前　開設中

（岡崎市作成）

ちです。これをきっかけに、さっそく対策を考えようとなるわけですが、この時点では実際にどれほどの来街者が見込まれるか、よくわかっていませんでした。

そこで、過去に大河ドラマ館を設置した実績のある、他都市のモバイル端末から得られたビックデータを購入・分析しました。大河ドラマ館開設の前後を比較すると、平日（図表1）では最大で約1・1倍に増加、休日（図表2）は最大で約1・75倍に増加する傾向がわかりました。また同グラフから、大河ドラマ館の開館時間に合わせ、日中の時間帯は増加するものの、朝と夕は増加しないことがわかりました。

この2つから、期待と不安をもう一度考え直してみるとどうなるでしょうか。経済効果の期待は、夕方には観光客がいなくなってしまうこと、本来、観光消費額が高いとされるのは夜間であることを考えると、一般的な対策にとどまらず、本市での滞在時間延長に力を入れる必要があると気付きます。その一方で、渋滞の不安については、本市の充実した道路交通環境を前提とすれば、大河ドラマ館の影響のみで大きな対策を必要としない反面、大河ドラマ館開設期間中、同じまちなかで休日に行われる大規模イベントの際は要注意と考えられます。

いかがでしょうか。分析内容を単純化してお伝えしていますが、来街者の規模や時間帯が推定できるだけで、ぐっと対策の解像度が上がったと感じられるのではないでしょうか。よくわからないまま期待や不安に駆られるので

図表2　休日のエリア来訪者数

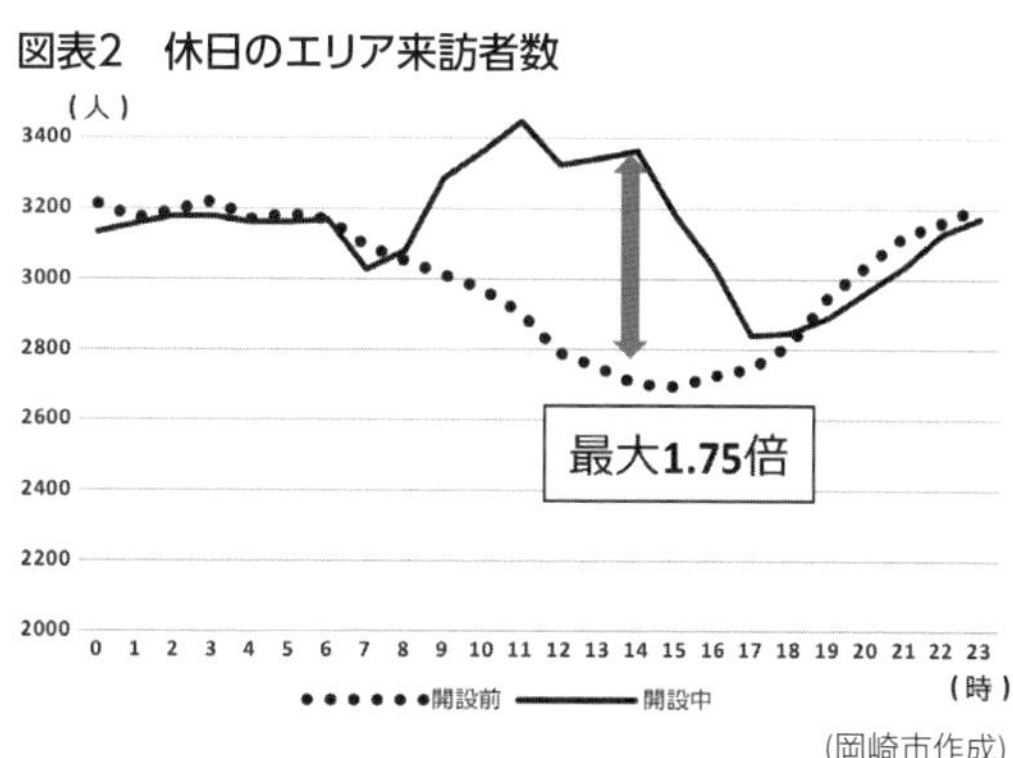

(岡崎市作成)

はなく、データが対策の「温度感を調整してくれる」パートナーであると感じられた一場面でした。

見せる化　行動変容をもたらす

データは、表現を工夫して広く閲覧可能にする（見せる化する）ことで、見る人の行動に変化（行動変容）をもたらすことがあります。例えば、前記の岡崎公園近くの駐車場は、イベント時によく満車になります。また、道路にはみ出す空車待ちの車が渋滞の一因となっていました。そこで、周辺混雑に関する5つの情報をウェブサイトにまとめ、これをイベント時に周知することで、閲覧者の行動変容を期待する対策を準備しました。

5つの情報のうち2つは、すでに近くまで来ている人へ向けたリアルタイム情報です。①カメラで取得した現在の公園周辺道路の混雑状況（図表3）と、②まちなか駐車場の現在の満空情報（図表4）を発信します。これらの情報を見れば、空いている駐車場へスムーズに駐車することができます。

5つの情報のうち3つは、事前にこのウェブサイトを見てくれた人に向けた情報です。③岡崎公園を含むまちなかでのイベント日程（図表5）、④イベント時における時間別の混雑グラフ（図表6・①データから作成）、⑤事前に予約可能な駐車場一覧（図表7）を発信します。イベント情報と混雑傾向を見てもらい、事前に駐車場を予約してから来てもらえれば、そもそも渋滞に巻き込まれません。

図表3

(https://suisui-okazaki.jp/)

図表4

(https://suisui-okazaki.jp/)

以上のウェブサイトは、「ただデータを見てもらえる環境を作っただけ」のものですが、違う視点から考えると、「これを見た人が、まちに来る際の駐車行動を変容させるきっかけを作った」と言えます。データが「見せる化で改善を手伝ってくれる」パートナーであると感じられた一場面でした。

見える化　事業改善サイクルの構築

データの「見える化」により事業の改善改革サイクルを構築することは、民間企業で先進的な取組みがたくさんあると思います。それらをお手本に、まちづくりで行ったチャレンジをご紹介します。

岡崎市では、まちなかを中心にサイクルシェア事業を行っています。サイクルシェア事業とは、ポートに置いてある電動自転車をスマホアプリで貸出・返却・決済できるサービスです。返す時は、どこのポートに返しても構いません。そして、この事業を運営する市が行うことは、適切なポート配置、宣伝、電動自転車の電池交換・充電、一部ポートに偏って返却された自転車の再配置です。市が活用できるデータは、次の内容がわかるエクセルデータを想像してもらえるとわかりやすいかもしれません。1行で、自転車がいつ・どこで借りられたか、いつ・どこで返されたか、どれだけの時間借りてもらえたかがわかるもの。借りられた件数だけエクセルの行が追加されるイメージです。

このような事業について、2017年から現在までデータを活用しながら成長

図表5

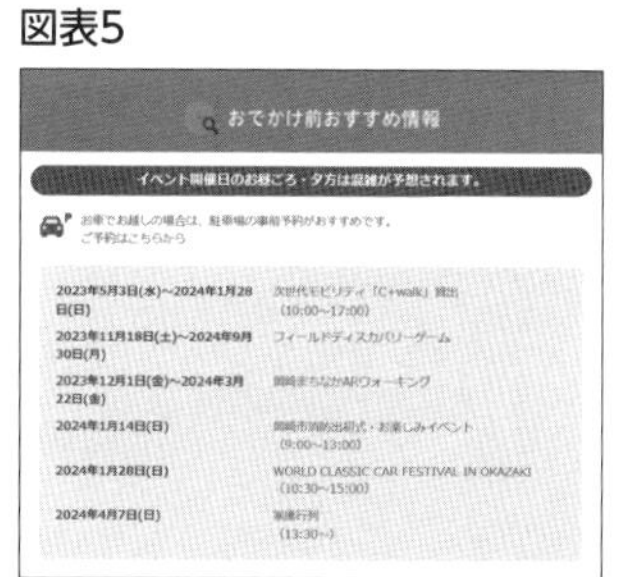

(https://suisui-okazaki.jp/)

図表6

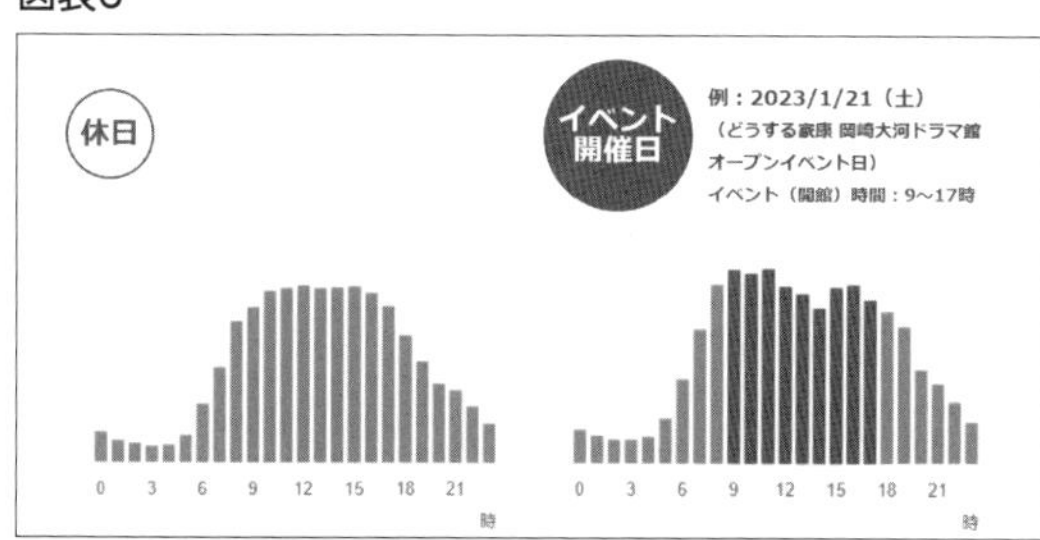

(https://suisui-okazaki.jp/)

させていった軌跡を４段階（①普及展開期、②利用拡大期、③経営改善期、④老朽化対策期）に分けて整理してみました（図表８）。

①普及展開期（２０１７年度〜２０２０年度）

この事業の基本的な考え方としては、できるだけたくさんのポートを設置して、利便性を高めることが重要とされていました。しかし、本市のような地方都市で自治体が運営していくには、段階的な成長を目指す方が合理的と考えました。

そこで、この事業を始めるにあたり、まずは底堅い地元の需要を掘り起こすことを目標としました。そのために、多くの人が借りたくなる場所、多くの人が返したい場所にポート設置を行い、地域の住民・大学などでの周知活動を行うことに着手しました。また、ポートは非常に簡易なものであるため、気軽に移動・改廃を行うことができます。これを活かしつつ、データで効果を確認しながら継続的に改善を進めました（図表９）。

しかし、期間の後半になると売上の伸びが鈍化してきます。そこで、データを分析してみると、地元の底堅い需要で朝晩は利用されているものの、昼間の利用が少ないことがわかりました。このあたりの時期から、利用拡大への挑戦が始まります。

②利用拡大期（２０２０年度〜２０２１年度）

図表7

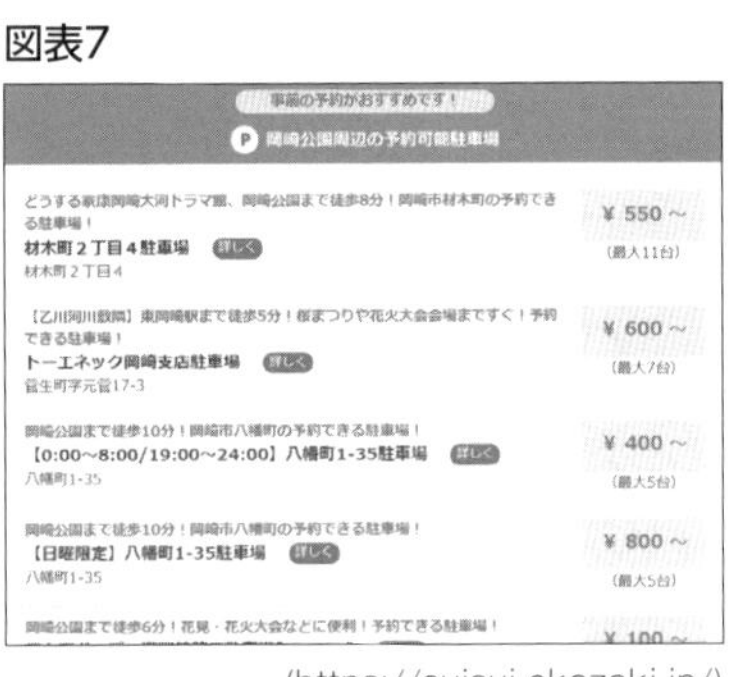

(https://suisui-okazaki.jp/)

図表8　売上推移

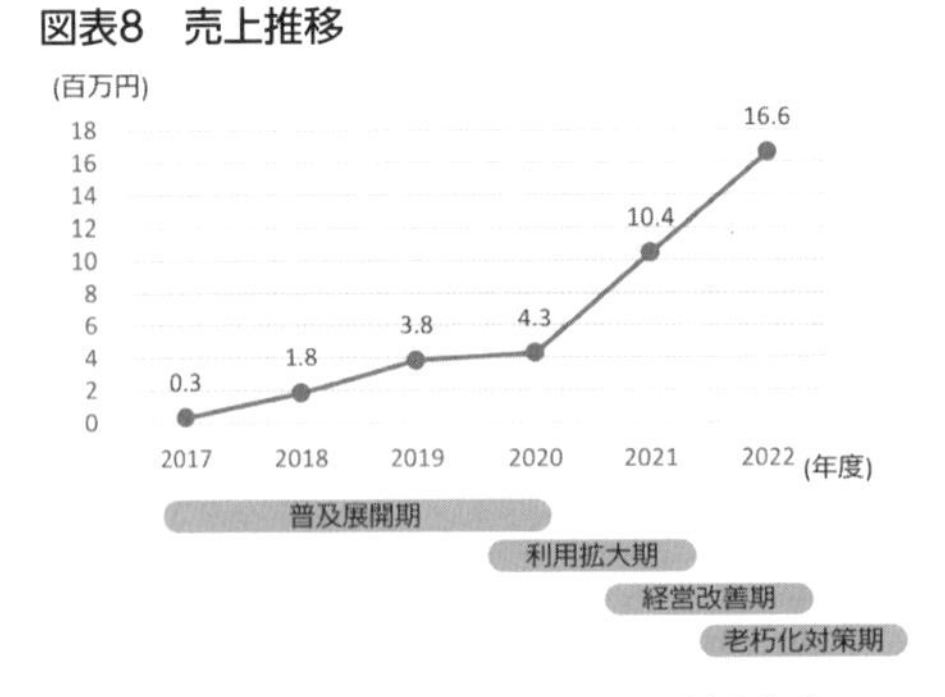

(岡崎市作成)

利用拡大期では、地元の底堅い朝晩の需要はそのままに昼間の需要を高めつつ、ポートを拡大していきたいと考えます。ここから、市役所内の関係課で相談したり、ビジネス需要を掘り起こせないかと地域企業へ相談したり、また、お客さまにご利用いただけないかとショッピングセンターへ相談するなど、決定打がないまま少し苦しい時期が続きました。

そうこうしている中で、岡崎市を拠点に動画配信活動を行っている東海オンエアのファンが撮影動画のロケ地をめぐる「聖地巡礼」による利用を促進してみては？ という意見が出ました。そこで、タイアップ企画や自転車ラッピングなどを行ったところ、劇的な利用拡大が始まります（図表10）。

その結果、自転車電池の交換・充電や、一定のポートに片寄った自転車の再配置にかかる手間が負担になってきました。嬉しい悩みではありますが、これを怠ると、苦情やひいては客離れ、せっかく成長した事業の頭打ちにつながるため、経営改善が必要になってきます。

③経営改善期（２０２１年度～２０２２年度）

経営改善期では、データ分析を検討の基礎にしながら、駅から少し離れた住民人口密度の高い場所（マンション付近等）へのポート増設を行いました。その結果、朝の通勤通学による駅までの利用がさらに進みます。また、東海オンエアファンの貸出ピーク時（データより10時、14時と把握）までに自転車が自動で駅に集まってくることにもなります。

図表9　普及展開期

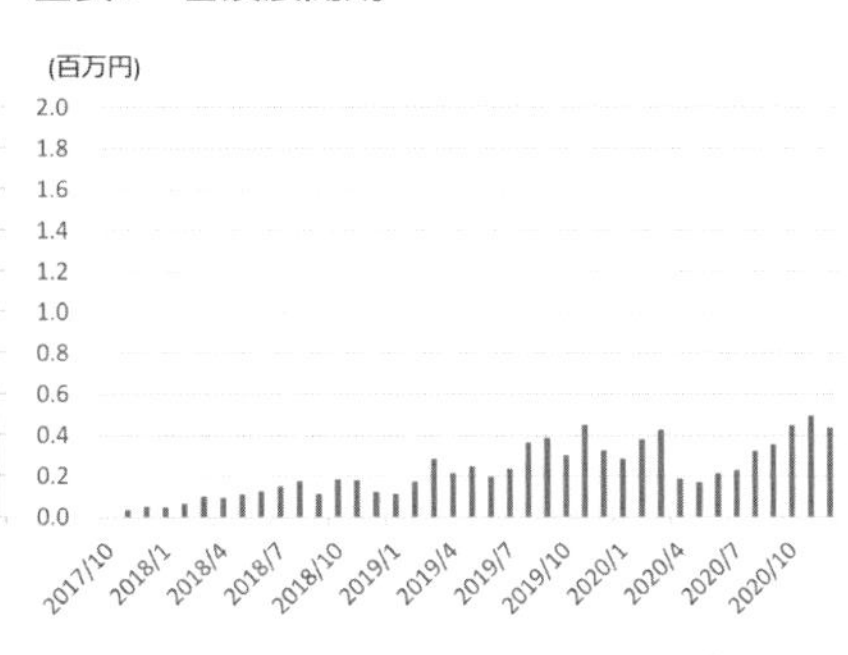

（岡崎市作成）

図表10　利用拡大期

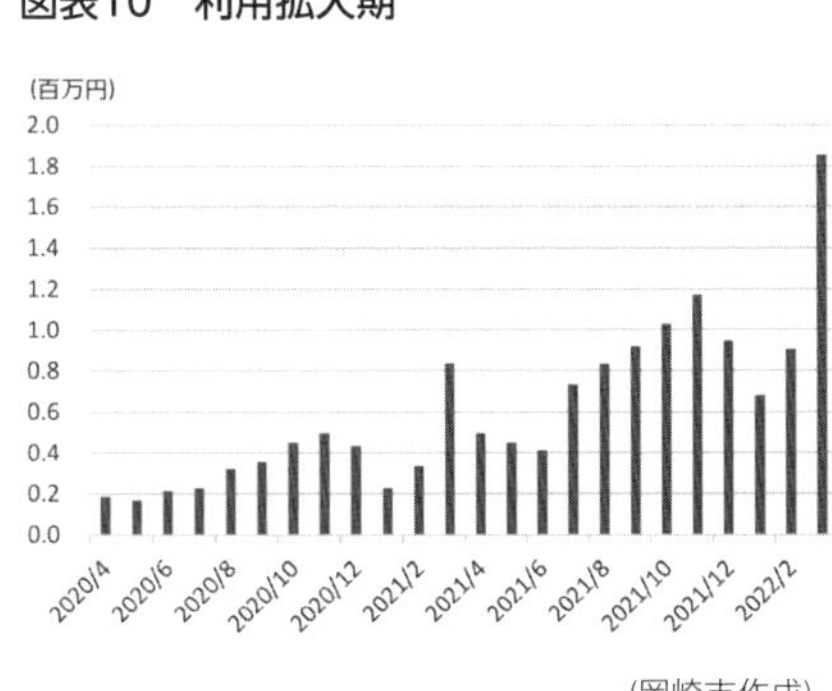

（岡崎市作成）

さらに、東海オンエアファンは、駅で借りて夕方までには駅で返す傾向がデータでわかっています。夕方に返してくれた自転車を朝の利用者が帰宅用に使ってくれることで、手間なく1台の自転車が1日3回転します。

このような大きな流れができれば、自転車がいつ・どこに滞留するかの傾向が掴みやすくなるので、電池交換や再配置もまとめて効率的に行うことができるようになります。先ほどの例で言えば、朝の9時くらいには駅に手間なく自転車が集まってくることがわかっているので、そこで一度にたくさんの電池を交換できるといったイメージです。こういった取組みによって事業拡大を頭打ちにすることなく、さらなる成長に繋がります（図表11）。

そして、２０１７年から屋外で雨ざらしの自転車は、そろそろ買い替え時期を迎えます。

図表11　経営改善期

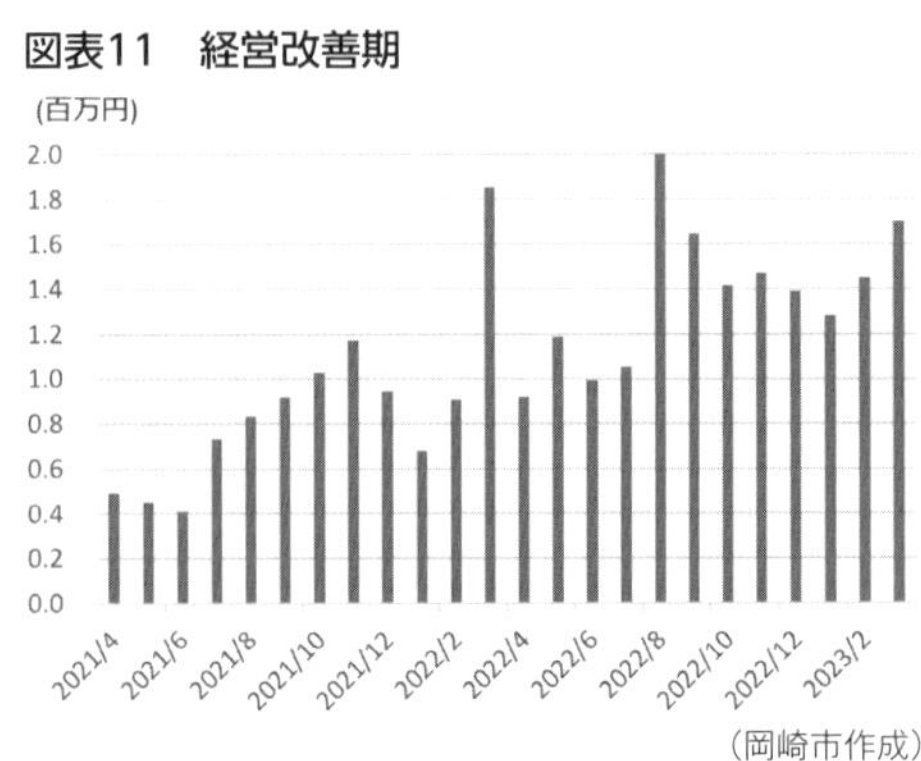

（岡崎市作成）

④老朽化対策期（２０２２年度～２０２３年度）

２０２１年度時点では53台の自転車を使っていましたが、大河ドラマ館設置にむけて２０２２年度末にさらに50台を買い足して、機会損失が生じないよう配慮しました。大河ドラマ館終了後は、状態の悪いものから順に廃棄する方向性です。

これから、現在の需要を基礎に何台の所有が最適か、これもデータを活用して考えていきたいと思います。このような取組みができるのも、データが「見える化で改善を手伝ってくれる」からこそと思っています。

おわりに

紹介した事例以外にも、データを活用した花火大会の警備計画活用、コロナ禍における密の回避、公共空間イベント時の沿道店舗への効果波及などに取り組んできました。これらの過程で筆者が感じているのは、データが客観的な状況を教えてくれる力強さです。特に、サイクルシェアのように限定された範囲では、「転ばぬ先の杖」や「ジャンプ台」のような役割を果たしてくれます。

しかし、その範囲を少し大きくして考えてみるとどうでしょうか。そもそも、自治体にとってサイクルシェアの運営は儲けるための手段ではなく、まちの元気を下支えするための「ただの交通手段」です。裏を返せば、まちがとんでもなく元気ならサイクルシェアが生む赤字など考慮に入れる必要はないと言えるかもしれません。

このように、まちづくりにおいては少し視点を変えるだけで、価値や正義が大きく揺らぎます。ミクロの視点では、データは価値を最大化させるためのパートナーと考えつつも、マクロの視点では、「客観的なヒントはくれるけど正解を教えてくれるものではない」と感じています。

もうお察しのことと思いますが、岡崎市のまちづくりへのデータ活用はまだまだ始まったばかりです。数年後には、名市大データサイエンス学部の学生との共創事例が生まれてくるかもしれないと期待しています。またの機会にはそんな事例もお伝えできるよう、積極的なチャレンジを継続していきます。

行政運営における統計データ活用
～読み・書き・統計リテラシー

前 名古屋市総務局企画部統計課　課長　井下 豊

名古屋市では、総務局企画部統計課[※1]において統計データの整備・活用推進に取り組んでいます。統計データは私たちが物事を判断するうえでとても役に立つものです。主に行政運営における統計データの活用という切り口から、統計の重要性や統計を扱う際の留意点などについて説明します。

信頼性の高い公的統計

突然ですが「95万人」これは、何の数字だと思いますか？

答えは、2015年と2020年の国勢調査人口の差、つまりこの5年間に減少した日本の人口の規模です（図表1）。実感がないかもしれませんが、2020年国勢調査において秋田県の人口が約96万人、政令指定都市では千葉市の人口が約97万人だったので、たった5年間で1つの県、1つの政令指定都市と同じ規模の人口が減ったと考えると、人口減少のスピードが感じられるの

※1　**総務局企画部統計課**
名古屋市役所の1組織。課長1名、課長補佐2名、課員15名で構成（2024年4月現在の定員）。主な業務内容は以下のとおり。
〈統計調査担当〉
・統計調査事務の連絡調整
・人口、住宅、学校、事業所などの統計調査の実施
〈解析活用担当〉
・毎月の人口の集計・公表
・人口、住宅、学校、事業所、市民経済計算などの統計の解析
・各種統計情報の収集及び統計刊行物の編集・発行
・統計利活用の推進

ではないでしょうか。

このように物事の姿が客観的で明らかに読み取れるのは、わが国で統計が整備されているからと言えます。国勢調査は、全数調査として、調査時点で日本に住んでいるすべての人と世帯を対象とする大規模な基幹統計調査です。[※2] 5年に一度、日本人に限らず、外国の方も含めた日本の人口を調査しています。日本全体で、そして各地域で、人口だけでなく、家族構成、性別、出生の年月、国籍、就業の状況なども調査されます。

国勢調査結果である国勢統計は公的統計の1つであり、[※3] 現行の統計法第1条では「公的統計が国民にとって合理的な意思決定を行うための基盤となる重要な情報である」とされています。公的統計（特に基幹統計）は、大規模な調査を行って作成されるものも多く、これにかかる費用も大きいのですが、現状を正しく把握した上で、はじめて適切な施策や効率的な投資が行えるのであって、無駄な支出を防ぐためにも正確な統計を作成することは非常に重要となります。

公的統計の重要性を示す話として、吉田茂[※4]元総理の逸話を紹介します。終戦後、日本は極度の食糧不足に陥り、この危機に対応するため、当時の吉田外相は農林省の統計を基に算定した不足分450万トンの食糧援助を、GHQダグラス・マッカーサー司令に要求しました。ところが、実際に支援されたのは70万トンであったにも関わらず、多数の餓死者は出ませんでした。日本の統計の杜撰さに激怒するマッカーサーに対し「当然でしょう。もし日本の統計が正確だったらあのよう

図表1

2015年	1億2,709万4,745人
2020年	1億2,614万6,099人

5年間で減少した人口　約**95**万人

※2　基幹統計調査
国の行政機関が作成する統計のうち、特に重要なものと位置付けられた「基幹統計」（国勢統計、国民経済計算及び総務大臣が指定する統計を合わせた計53の統計）を作成するための統計調査。

※3　公的統計
国の行政機関、地方公共団体又は独立行政法人等が作成する統計。

※4　吉田茂
（1878〜1967）

日本の政治家、外交官。東京帝大法科大学卒業後、外務省へ入省し、外務次官などを歴任。戦後は東久邇内閣・幣原内閣で外相を務め、1946年に内閣総理大臣に就任。以後5度にわたり政権を担当した。

な無茶な戦争などしなかったし、もし統計どおりだったら日本はあなたの国に勝っていたはずです。」と平然と言い返したというものです。このジョークにマッカーサーも大笑いをして結局お咎めなしとなったようです。

２人が打ち解けたきっかけのエピソードですが、吉田外相はこの時正確な統計の必要性を痛感したようで、後に内閣総理大臣になった時には政府関係の統計を整備することとし、戦後の統計再建に努めたということです。

行政運営に求められるEBPM

毎年、経済財政運営と改革の基本方針[※5]（骨太の方針）で掲げられているＥＢＰＭという言葉をご存じでしょうか？

これはEvidence-Based Policy Makingの略語で、和訳すると「証拠に基づく政策立案」になります。Evidence-Basedは、元々は医療の分野で広まった考え方と言われています。経験や勘などから治療方法を選択するのではなく、きちんとデータを取って、信頼できる根拠のある治療方法を選択するというものです。

行政運営でも同様に、その場限りのエピソードに頼るのではなく、政策目的を明確化したうえで、合理的根拠に基づくことで、限られた資源を有効に活用し、国民により信頼される行政を展開することが求められています。

※5　経済財政運営と改革の基本方針（骨太の方針）
政府の経済財政政策に関する基本的な方針を示すとともに、経済、財政、行政、社会などの分野における改革の重要性とその方向性を示すもの。内閣総理大臣が経済財政諮問会議に諮問し、同会議における審議・答申を経て、閣議決定される。

読み・書き・統計リテラシー

このような動きの中、Evidence（証拠）の中でも重要なものとして公的統計データが注目されており、ＥＢＰＭを推進していくためには統計リテラシーを備えるべきと考えています。

リテラシーとは、ある分野における知識や能力を活用することです。情報リテラシー、メディアリテラシーといった言葉を耳にしたことはあるのではないでしょうか。統計リテラシーとは、統計の有用性を理解し、統計データを活用していく能力ということになります。

幕末から明治にかけては、主に計算はそろばんで行っており、初等教育における基本的な教育内容は「読み・書き・そろばん」と言われていました。文字・文章を読み、内容を理解して書き、及び計算すること、並びにそれらができる能力を身に付けるべしということです。一方、ＩＣＴ[※6]が進歩してコンピュータが計算をしてくれる現代に置き換えるなら、統計の使い方を身に付けるべしということで「読み・書き・統計リテラシー」と言えるのではないでしょうか。

※6　ICT
Information and Communication Technology の略で、情報や通信に関する技術の総称。

統計データの的確な収集・表現

統計データを使うときには、世の中にある膨大なデータの中から、信頼できるデータを探すことが大切です。ここでは2つのウェブサイトを紹介します。

1つ目が政府統計の総合窓口『e-Stat』（図表2）です。各府省等が公表する統計データを1つにまとめ、統計データを検索したり、地図上に表示できるなどの、たくさんの便利な機能を備えた政府統計のポータルサイトです。名古屋市統計課に寄せられる日々の問合せに対して『e-Stat』を案内することも多数あります。

2つ目が、本市統計課で用意している、市公式ウェブサイト内『統計なごやweb版』（図表3）です。毎月の人口、国勢調査や経済センサスをはじめとする名古屋市に関する各種統計調査結果、統計刊行物のデータ、長期統計データ等の各種統計情報をご案内しています。一部の対象外データを除き、原則オープンデータとして掲載しており、クレジット表記すること（データ名：統計なごやweb版）により、二次利用することが可能です。


統計を収集した後、統計を表現することも重要です。その重要性を示す逸話を、また1つ紹介します。

イギリスの看護師フローレンス・ナイチンゲール[※7]は、若い頃から「近代統計学の父」と呼ばれるベルギーの統計学者アドルフ・ケトレーを信奉し、数学や統計に強い興味を持って勉強したと言われています。母国が参戦したクリミア戦争への従軍の際、ナイチンゲールは野戦病院で看護活動にあたりました。しかし、戦死より伝染病で多くの人が亡くなっていることに気付き、統計によりその実態を

図表2　e-Stat

図表3　統計なごやweb版

※7　フローレンス・ナイチンゲール
（1820～1910）

イギリスの看護師、看護教育学者、統計学者。戦時下に献身的な看護活動を行った後、看護学校を設立するなど看護師教育に尽力し、「白衣の天使」「近代看護教育の生みの親」とも呼ばれる。女性としてはじめて王立統計学会の会員に選ばれ、後に米国統計協会の名誉会員にも選ばれた。

明らかにした報告書を作りました。この報告書には、統計になじみのうすい国会議員や役人にも分かりやすいように、当時としては珍しかったグラフを用いて、視覚に訴えるための表現の工夫が施されていました。「鶏のとさか」と呼ばれる円グラフの一種（図表4）はこの過程でナイチンゲールによって考え出されたものです。この結果、改善の必要性が理解されたことで衛生改善命令が出され、2月には約42％まで跳ね上がっていた死亡率は4月に14・5％、5月に5％に抑え込まれたということです。

統計を扱う際は、的確に収集することに加えて、理解しやすい見せ方も重要ということが分かります。

行政運営における統計データ活用

行政運営における統計データの活用例として『名古屋市総合計画２０２３』[※8]を紹介します。『名古屋市総合計画２０２３』とは、市政運営の基本的な方針を定めた『名古屋市基本構想』のもと、目指す都市像などを「長期的展望に立ったまちづくり」として示し、その実現のために必要な施策・事業を総合的・体系的に取りまとめたものです。

図表5は、総合計画に掲載している統計データの1つです。年少人口、生産年齢人口、高齢者人口の3階級に分けた推移として、２０１５年までは国勢調査結果の確定値、２０２０年から２０４０年までは名古屋市で推計した将来人口の推

※8 名古屋市総合計画2023
2019年度から2023年度までを計画期間とする名古屋市の総合計画。なお、名古屋市ではリニア中央新幹線の全線開通や全国の高齢者人口がピークを迎える時期を念頭におきながら、2024年度から2028年度までを計画期間とする次期総合計画の策定を進めている（2024年4月現在）。

図表4

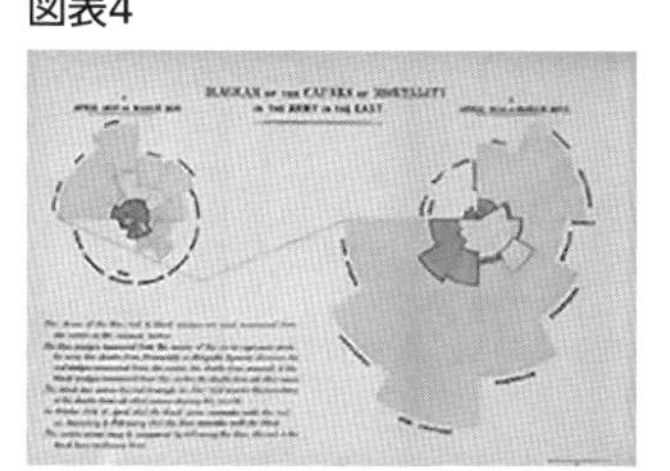

［出典:総務省統計局「なるほど統計学園 －ナイチンゲールと統計」（https://www.stat.go.jp/naruhodo/15_episode/episode/nightingale.html）］

計値を使用しています。この統計データから、人口減少及び少子化・高齢化に伴う人口構造の変化などを読み取ることができ、将来的な医療・介護ニーズの増大や、福祉ニーズの多様化などを把握することができます。

このように様々な統計データを活用することで、名古屋市を取り巻く社会経済情勢と課題を捕捉し、市が目指す都市像の実現に向けた施策等が実施されています。

このほか、個別計画等における統計データの活用例を図表6にまとめました。例えば、『名古屋市空家等対策計画』[※9]には住宅・土地統計調査[※10]の結果が、『ナゴヤ子どもいきいき学校づくり計画』[※11]には学校基本調査[※12]の結果が、それぞれ活用されています。もちろん、これはごく一部で、図表6に載っていない様々な計画や施策にも活用されてい

**図表5　名古屋市の年齢3階級別人口
(年少人口、生産年齢人口、高齢者人口)の推移**

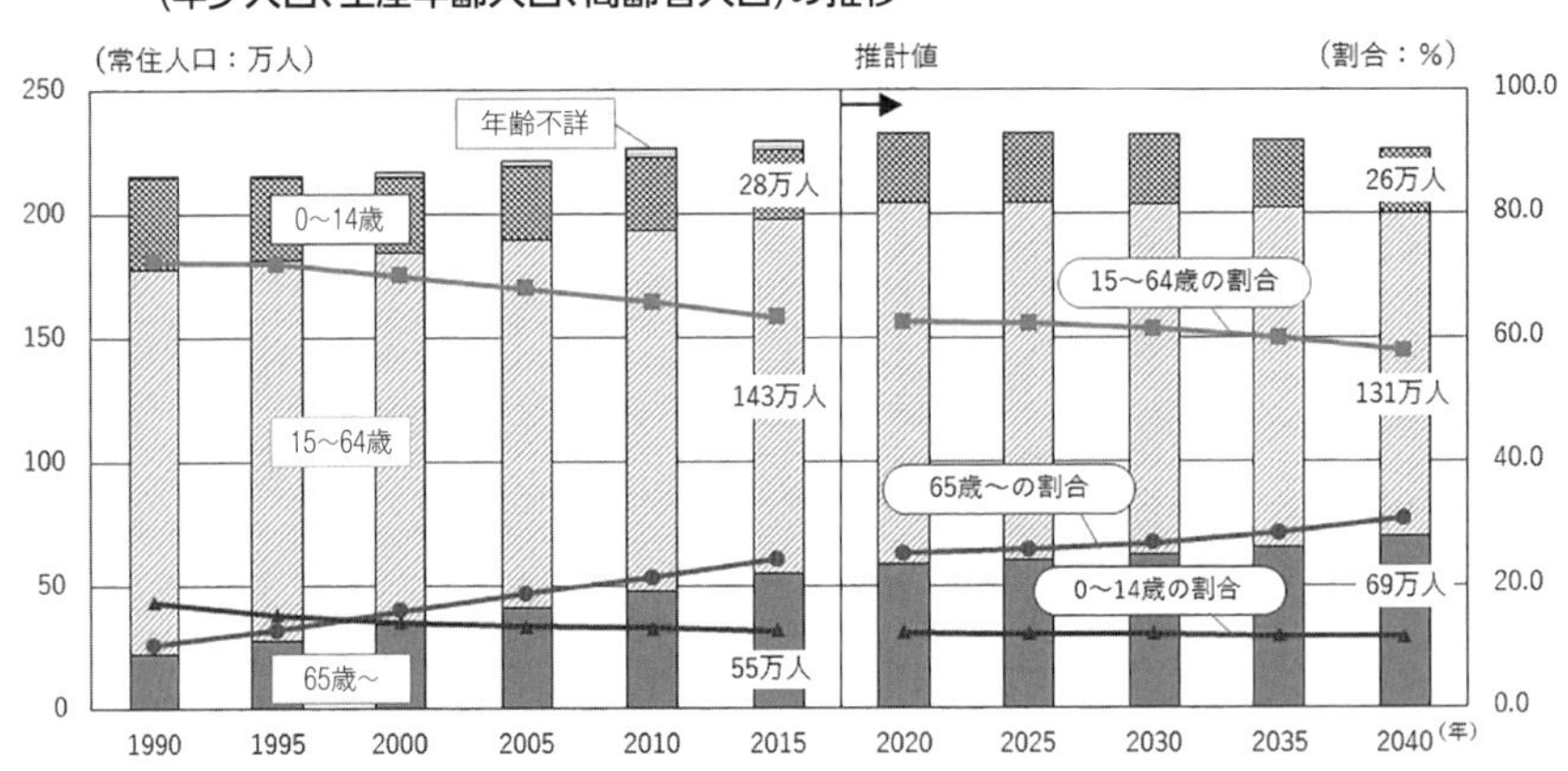

[『名古屋市総合計画2023』P15より
出典:実績値 統計なごやweb版 国勢調査結果より作成　推計値 名古屋市推計(2018年10月1日時点)]

図表6

統計調査		活用例
国勢調査結果	→	名古屋市地域防災計画 はつらつ長寿プランなごや2023　等
経済センサス結果	→	名古屋市文化芸術推進計画2025　等
住宅・土地統計調査結果	→	名古屋市空家等対策計画 名古屋市住生活基本計画　等
学校基本調査結果	→	ナゴヤ子どもいきいき学校づくり計画 名古屋市立幼稚園の今後のあり方における実施計画　等

[庁内への照会回答より(2023年7月名古屋市統計課実施)]

ます。

統計データは行政運営において欠かせない大切なものであり、行政運営の先にある住民の福祉の増進にも密接につながっていることがお分かりいただけると思います。市統計課では、ＥＢＰＭの推進に向けて、統計データの整備・提供を継続するとともに、施策形成に寄与する統計の解析、解析結果の積極的な発信、個々の分野における分析相談などに引き続き取り組み、統計データの活用を一層推進していきます。

暮らしを支える統計調査にご協力を

改めまして、統計データは行政運営、学術研究、産業・ビジネス、医療など、社会生活のあらゆる場面で利用されています。数字・データに溢れる現代社会においては、統計リテラシーを身に付けて、統計データを積極的に活用していくことが、より一層重要になってくると思います。

元をたどれば、統計データは皆様の各種統計調査への回答があってはじめて作成できるものであり、事実を客観的に捉えた統計を作るためには、正確で円滑な統計調査の実施が必要不可欠です。集まった回答は、統計へと姿を変え、私たちの暮らしを支えています。今後とも、統計調査へのご理解とご協力をいただきますよう、よろしくお願いいたします。

※9　名古屋市空家等対策計画
本市における空家等対策の方針、方向性を明確化し、空家等対策をより効果的・効率的に推進していくため策定した計画。名古屋市スポーツ市民局所管。

※10　住宅・土地統計調査
居住の実態や住宅・土地の保有状況等を調べるため5年に一度行われる基幹統計調査。調査結果は、住生活基本計画など諸施策の企画、立案、評価の基礎資料等として利用されている。

※11　ナゴヤ子どもいきいき学校づくり計画
望ましい学校規模を確保することにより「子どもたちがいきいきと輝く良好な教育環境」を目指して策定した計画。名古屋市教育委員会事務局所管。

※12　学校基本調査
学校教育行政に必要な学校に関する基本的事項を調べるため毎年行われる基幹統計調査。調査結果は、当面する教育の諸問題を解決する基礎資料、将来の教育計画を立てる際の資料等として利用されている。

法律文書のテキストマイニングから見えた社会

データサイエンス学部　准教授　小川　泰弘

テキストマイニングとは、大量の文書から様々な情報を取り出すことをいいます。ここでは、難しいと感じる法律について、テキストマイニングを適用してみた例を紹介します。

テキストマイニングとは

「データマイニング」とか「テキストマイニング」という言葉を聞いたことがあるでしょうか？　この「マイニング」とは、元々英語で「鉱山」を意味する「マイン（ｍｉｎｅ）」からきています。鉱山で金や他の貴重な資源を探して地中から掘り出すことを「マイニング」と言います。鉱山には金塊がそのまま埋まっているわけではなく、土の中に混じったわずかな金の欠片を探し出します。

データマイニングもそれと同じで、大量のデータの中に埋もれた貴重なデータを探しだす作業です。一般に、データマイニングの対象になるのは数値データです。たとえば、お店を出すときにはその地域の人口や年齢層などの数値データを考慮します。しかし数値で表すことができないデータもあります。お店や商品の口コミなどのテキストデータがその例です。

そうしたテキストデータから、有用な情報を発見するのがテキストマイニングです。皆さんもアプリなどでお店やホテルを選ぶとき、数値の評価だけでなく口コミも参考にすることがあるでしょう。また企業にとっても、口コミや消費者からの問い合わせは、商品開発のための重要な情報です。そうした情報をテキストの中から探し出すのがテキストマイニングです。

テキストマイニングは、商売のためだけに使われるものではありません。作家の特徴を分析することや、ニュースからトレンドを見つけ出すことなど、いろいろな用途に活用されています。ここでは、とっつきにくい法律にテキストマイニングを適用して、どのような情報が出てくるか見てみましょう。

「美容師」と「理容師」

「美容師」と「理容師」の違いをご存知でしょうか?

「美容師」は美容院で髪を整えてくれる人であり、「理容師」は床屋で髪を切ってくれる人です。この二つは似ていますが、それぞれ異なる免許が必要です。免許があるということは法律で定められているということになります。法律では「床屋」と言わずに「理容師」と言いますが、実は最初の法律では「理容師」という言葉には別の意味がありました。

「理容師法」という法律は昭和22年に法律第二三四号として制定されました。この中身を読むと、「この法律で理容師とは、理髪師及び美容師をいう。」という文章が出てきます。さらに続いて、「この法律で理髪師とは、理髪を業とする者をいい、美容師とは、美容を業とする者をいう。」とあります。つまり、この当時は、いわゆる「床屋さん」は「理髪師」と呼ばれていました。そして「理容師」とは、「理髪師」と「美容師」を合わせた言い方だったのです。「理髪師」の「理」と、「美容師」の「容」を合わせて「理容師」だったわけですね。

「理髪師」という言葉は今ではあまり聞きませんが、「セビリアの理髪師」というオペラがあります。これは、このオペラが日本に紹介されたとき、床屋のことを「理髪師」と呼んでいた名残りです。

しかし、時間とともに「理容師」から「美容師」の意味が抜けていきました。そうした変化を受け、「理容師法」は昭和26年に改正され、そのときに法律の題名も「理容師美容師法」に改められます。法律の中身でも、「理髪師」は「理容師」に、「理容師」は「理容師又は美容師」に改められます。その後、昭和32年には、この法律は「理容師法」と「美容師法」の二つに分けられ、現在の法律に繋がっていきます。つまり、昭和22年の「理容師法」は「床屋さん」と「美容師」の両方に関する法律だったのですが、[※1] 現在の「理容師法」は「床屋さん」だけを扱う法律になります。

※**1** 現代では「理容師」と「美容師」と合わせて「理美容師」と呼ぶことがありますが、この言葉は現在の法律には出てきません。ただし、法律より下のレベルの省令では、「介護保険法施行規則（平成一一年厚生省令三六号）」などの中に「理美容代」という表現が出てきます。

※**2** 正確には、日本国憲法が施行された後の法律だけを対象にしています。

法律に対するテキストマイニング

「理容師」と「美容師」の違いは、法律を対象にテキストマイニングをしているときに気付きました。テキストマイニングは、言葉と言葉の間の関係を調べることなどもしますが、単純に言葉の出現回数を数える方法もあります。特定のキーワードに注目して調べることもできますが、テキストマイニングの面白い点は、出現回数が極端に変わる言葉を自動的に見つけてくれるところです。「理容師」と「美容師」のような、日本語の言葉の意味の変化を示す例は、そうして見つけました。法律に対するテキストマイニングでは、その他にも、社会で何が問題になっているかを見つけることもできます。

言葉の出現数から分かる社会の変化

もう少し本格的にデータを分析してみましょう。

※2 昭和22年以降に制定された法律を対象に、出てき

図表1　法律中の言葉の出現順位の変化

年代	S22〜S27	S28〜S32	S33〜S37	S38〜S42	S43〜S47	S48〜S52	S53〜S57	S58〜S62	S63〜H04	H05〜H09	H10〜H14	H15〜H19	H20〜H24
水害	2884	440	711	2142	5801		1250	6509	3237	2658	4158	2669	3639
公害	13617	8287		844	239	366	859	742	857	988	1237	1654	1509
麻薬	544	225	3634	676	2304	5377	2524	1416	332	2387	1744	2578	4200
廃疾	1957	482	196	278	405	174	115						
障害	309	279	158	106	172	88	75	42	173	130	178	108	66
子ども											2261	2123	177
児童	428	505	443	366	348	436	523	387	494	652	409	435	134

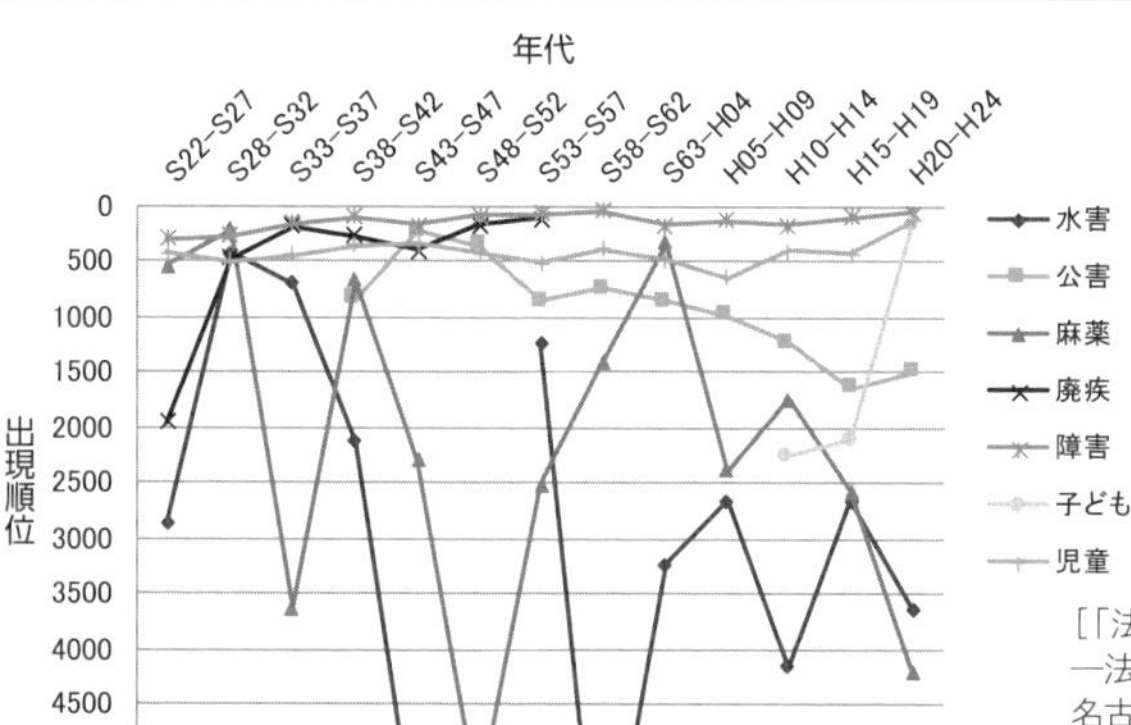

［「法律文中における単語出現頻度の変化―法令テキストマイニングの一例―, 名古屋大学法政論集, Vol.250, pp. 543-556, (2013)」より引用］

た言葉の出現回数を5年ごとにまとめて数えてみました。出現回数そのままですと、その期間に制定された法律の数に左右されますので、出現順位に注目します。その中で、特徴的な変化があった言葉に注目し、図表1のグラフにしてみました。ここでは、「水害」「公害」「麻薬」「廃疾」「障害」「子ども」「児童」に注目します。

言葉の出現回数がどうして変わったのか考えてみましょう。

まず、「水害」と「公害」に注目します。昭和28～32年と昭和33～37年に「水害」が高い順位になっています。このことから、当時、水害に関係するための法律が作られたことが分かります。実際、この時期には多数のダムが計画され、たとえば黒部ダムは昭和31年に着工されています。法律としても、昭和32年に「特定多目的ダム法（昭和三二年法律第三五号）」が制定されています。

同じように「公害」の出現順位も昭和43～47年と昭和48～52年に高くなっています。この時期には、四日市ぜんそくやイタイイタイ病、水俣病などの公害問題が発生しています。それを踏まえて、公害に関する法律が作られたことが分かります。

次に「麻薬」に注目します。戦後しばらくのあいだ、「麻薬」の出現順位が高くなっています。つまり、当時は麻薬が大きな社会問題になっていたのでしょう。その後は、順位が低くなっていますが、昭和63～平成4年にまた出現順位が高くなっています。この時期に麻薬の犯罪が増えたのかと思って調べてみましたが、原因は別にありました。

日本は平成4年に「麻薬及び向精神薬の不正取引の防止に関する国際連合条約

（平成四年条約第六号）」を批准[※3]しました。条約の批准のためには、その前に関連する法律を日本国内で作る必要があります。そのため、「麻薬取締法等の一部を改正する法律（平成二年法律第三三号）」などの法律を作って、麻薬取締に関する法律を改正していました。

つまり、出現順位が高くなったのは麻薬犯罪が増えたからと単純に考えることはできません。テキストマイニングでは、単純に数値を見るのではなく、それを手掛りに深い洞察をしていく必要があります。

このように、テキストマイニングを用いると、法律のテキストから社会の変化を捉えることができます。言葉の出現回数の変化から、ある時期にどのような問題が重要視され、それにどのように対処がされたかをうかがい知ることができます。

※3　国と国との間の取り決めである条約について、その国が同意すること。

古い言葉と新しい言葉

時代が変化するにつれて、法律で使われる言葉も変化します。言葉によっては、あるときから法律でまったく使われなくなることもあります。「理髪師」などもその例です。

図表1にある「廃疾」という言葉は、昔は多くの法律で使われていましたが、昭和57年以降はまったく出現していません。近い意味をもつ「障害」が今でも使われていることと対照的です。もともと「廃疾」は重度の心身障害や心身障害者

を指す言葉でしたが、今ではほとんど使われません。これは、国連が昭和56年を国際障害者年と定めたことがきっかけです。それに合わせて、障害に関する言葉の見直しと整理が行われました。「障害に関する用語の整理に関する法律（昭和五七年法律第六六号）」などの法律が作られて、こうした言葉は使われないようになりました。

一方、以前は使われていなかった言葉が、ある時点から使われるようになった例もあります。たとえば「子ども」という言葉は、最近では法律でもよく使われます。しかし、最初に出現したのは平成10年に作られた「特定非営利活動促進法（平成一〇年法律第七号）」です。それ以前の法律では使われてきませんでした。

この法律はＮＰＯ法とも呼ばれ、作成の際には市民の意見が反映されるよう働きかけがありました。もともと法律では、「児童」はよく使われる言葉でした。同じような意味をもつ「子ども」が法律で使われるようになったことは、社会における子どもの扱い方や位置づけに影響を受けていると思われます。「子供」[※4]ではなく「子ども」という表記なところからも、関係者の思いが伝わってきます。

※4　ちなみに、現在の法律では、「子供」という表記は2件、「子ども」という表記はＮＰＯ法を含めて124件に出現します。

おわりに

法律に対するテキストマイニングの結果を見て、いかがでしたでしょうか。難しいとして敬遠しがちだった法律からも、興味深い情報が得られたのではないでしょうか。最近では、インターネットの普及により、さまざまなテキストデータに簡単にアクセスできるようになりました。また、テキストマイニング用のツールやプログラムも無料で提供されています。みなさんもそれらのツールを利用すれば、いろいろなテキストから新たな発見をすることができるかもしれません。

自治体のデータ活用
～税金の使い方の選択には証拠が求められる時代

データサイエンス学部　准教授　原田 峻平

この章では、名古屋市などの自治体においてデータ活用が求められている理由や、具体的なデータ活用方法について紹介します。そこで、まずは自治体がしている仕事についてみていきましょう。

自治体の仕事と税金の使い方

自治体は、住民の暮らしを良くするための公共サービスを提供しています。図表1は、２０２３年度の名古屋市の歳出（1年間のお金の使い道）の内訳を示しています。これを見ると、福祉や教育、道路などの工事、環境保全、消防などにお金が使われていることが分かります。このように、自治体の仕事によって提供されているサービスは皆さんの身近にたくさんあります。

図表1　名古屋市の歳出の目的別内訳（単位:億円）

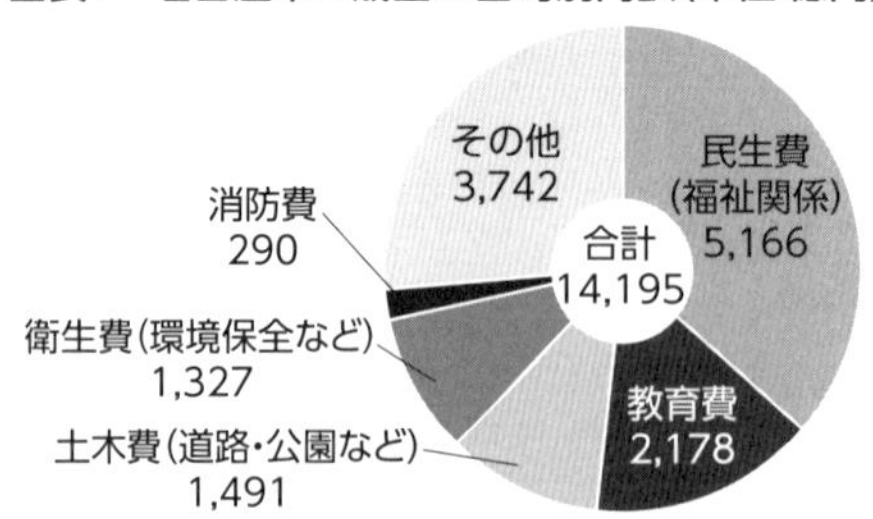

名古屋市の財政（令和5年版）より作成

「新しい公共経営」とは

こうした仕事をするために必要なのが、皆さんの納める税金です。税金は、お店に行って商品を買う場合（つまり、その商品が欲しくて自分からお金を払う場合）とは違い、「喜んで払う」というものではありません。社会をより良くするために皆で負担し合っているものです。そのため、自治体が決める税金の使い方は、常に「ムダづかいをしていないか？」、「もっと良い使い方はなかったのか？」ということが問われることになります。

こうした中で、今から30年ほど前に出てきた考え方が「新しい公共経営」です。経営というと、一般的には企業が資源（いわゆるヒト・モノ・カネなど）をどのように活用すれば、優れた商品やサービスをお客様に提供できて、上手に利益を出すことができるのか、を考えることです。自治体などは「公共」部門などと呼ばれ、みんなのために活動するのであって自らの利益を求めて活動しているわけではありません。しかし、そうした自治体などにおいても、企業の経営の考え方を取り入れて、ムダのない資源（特に税金）の使い方をしていくべきであるというのが、「新しい公共経営」です。

企業が利益を最大にするようにヒト・モノ・カネをうまく使えているとき、その資源の使い方は「効率的」であると言います。効率的とは「ヒト・モノ・カネなどの資源を、利益を最大にするようにムダなく使えていること」を指します。

これを自治体にも当てはめると、自治体が公共サービスを提供する目的は公共の福祉の増進、すなわち住民の幸せを大きくすることにあるので、「税金を、住民の幸せを最大にするようにムダなく使えていること」が効率的ということになります。図表2は、企業経営と公共経営の違いを効率性という観点からまとめたものです。

このように、公共サービスを提供する際には、「税金をムダなく使って住民の幸せを大きくすることが望ましい」という考え方自体は、30年前から出てきていました。しかし、この考え方を実践するためには「どのような税金の使い方をすれば、住民の幸せを大きくすることができるのか?」ということが分からなければいけません。そこで、次はそれに関する最近の流れを説明していきます。

証拠を求める自治体

新しい公共経営の考え方が自治体に入ってくる中で、税金の使い方と住民の幸せの関係を知る必要が出てきました。これと関連して、最近よく聞かれる言葉が「証拠に基づく政策立案(Evidence-based Policy Making:EBPM)」です。これは、国や自治体が何か政策を実行するときには、それが有効な(=この社会をより良くする)政策だという「証拠」を提示しましょう、という考え方です。それまでの政策の決め方は、「エピソード(経験)」ベースだったと言われています。つまり、政治家などが「私の経験では…」、「聞いた話によると…」、とい

図表2　企業経営と公共経営の効率性の違い

	考えるべき効率性の違い	
	企業経営	公共経営
対象とする資源	ヒト・モノ・カネ	主に税金
目的	利益を最大	公共の福祉の増進 (住民の幸福)

うような限られた事例に基づいて政策を決めていたのではないか、ということです。それに対して、エピソードよりも信頼性の高い、客観的な「エビデンス（証拠）」によって政策を決めることで、より効果の高い政策を選択することができるようにしよう、というのがＥＢＰＭです。この証拠の見つけ方にデータ活用は深く関わってくるわけですが、その前にもう少しだけ証拠とは何かについて説明しておきます。

　さて、「新しい公共経営」と「証拠に基づく政策立案」の二つの流れから言えることは、住民の幸せを大きくするような税金の使い方についての証拠を見つけることが必要となっているということです。ここで、証拠とはどのようなものでしょうか？　サスペンスドラマなどでも証拠という言葉はよく出てきますが、それは「その人が犯人であることを指し示すもの」という意味で使われます。ＥＢＰＭでは、「その政策を実行したから（原因）、社会がこのように良くなった（結果）」という関係、すなわち政策と効果の間の因果関係を明確に示すものが証拠です。

　この因果関係の例を示したのが、次の図表3です。ここでは、自治体が住民の健康状態を改善するために禁煙教室を実施したとします。それが本当に健康状態を改善するまでには、次のようなつながりが必要です。禁煙教室を実施することで、住民の中に受講した人が増える。それによって実際に禁煙する人も増えて、人々の健康状態が改善する。もし、禁煙教室の実施（原因）によって最終的に健康状態を改善できた人が増えた（結果）とすれば、このような政策は効果があっ

図表3　因果関係の例

禁煙教室の実施 ➡ 受講者の増加 ➡ 禁煙者の増加 ➡ 健康状態の改善

たということになります。そのような関係を明確に示す証拠が見つかれば、禁煙教室を実施するために税金を使うことはムダのない使い方、効率的であると判断することができます。

証拠を得るための方法　データの活用事例

ここから、データの活用の説明に入ります。先ほどの図表3のような、ある政策（禁煙教室の実施）のために税金を使った場合に、期待する結果（健康状態の改善）が実現できるのかどうかを示すための手法の一つが、データを用いて分析することです。データを使って因果関係を明らかにすることを「因果推論」とも呼び、2019年と2021年に相次いでその分野の研究者にノーベル経済学賞が贈られている、近年とても注目されているテーマです。

因果推論では、因果関係を示す証拠としての「質の高さ」が求められます。証拠の質とはどういうことか、これもサスペンスドラマの例で説明します。「その人が犯人であることを指し示すもの」が証拠だったわけですが、確実に犯人が誰かが明らかになるような証拠、例えば凶器についた指紋や犯行現場をはっきりと映した防犯カメラ映像などは証拠としての質が高いといえるでしょう。しかし、そのような証拠はいつも手に入るわけではないので、ドラマの中でも刑事たちはアリバイや動機の有無、犯行現場の近くの目撃情報など、証拠としての質はやや落ちるものであっても、それを数多く集めてきて犯人を特定しようとしています。

同じように、自治体の政策、税金の使い方に関して、それが確実に効果あり（あるいは、なし）と示すことができる証拠は質が高いですが、必ずしも入手可能ではありません。その場合には、少しでも効果を検証できるような証拠を集めて判断する必要が出てきます。

例えば、最も高い質の証拠とされているのは「ランダム化比較試験」と呼ばれるものです。図表4は、そのイメージをつかむために、禁煙教室の例に当てはめたものです。まず、住民の中からランダムに（無作為に、本人の意思とは関係なく）禁煙教室の参加者を決めて参加してもらい、参加した人としなかった人のその後の行動や健康状態といったデータを集めて比較して禁煙教室の効果を測るというものです。なぜ本人の意思とは関係なく参加者を決めるかというと、禁煙教室の参加者と非参加者をただ比較するだけだと、禁煙教室の参加者は他にも健康状態をよくするための行動をしている可能性があり、仮に結果として健康状態の改善が見られたとしても本当に禁煙教室の効果なのか、他の行動が関係しているのか、はっきりしないためです。

ランダム化比較試験は政策の効果を示す質の高い方法ですが、自治体が行うのは労力など様々な問題があって難しいと考えられます。それでは、少しでも高い質の証拠を得るためにはどうすればいいでしょうか？

多くの方法が考えられていますが、皆さんにも身近な方法を紹介します。それは、住民の皆さんが回答したアンケートの情報を活用するというものです。自治体が行うアンケート調査では、皆さんの行動、禁煙教室参加の有無など公共サー

図表4　ランダム化比較試験のイメージ図

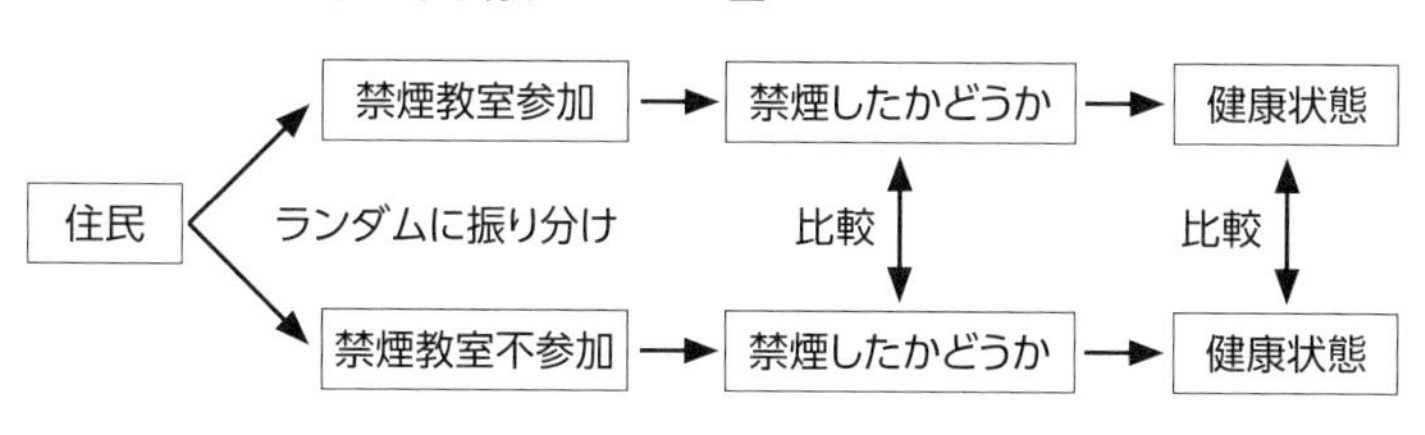

ビスを受けている状況、幸せと感じているかどうか、健康状態、などを調査の目的に応じて幅広く聞いていることが多いです。それを使って、禁煙教室の効果を明らかにすることはできないでしょうか。

禁煙教室の参加者と非参加者を単純に比較するだけでは参加者が健康状態をよくするために行っている他の行動が影響しているかどうかを判別できなかったわけですが、アンケート調査ではそうした他の行動についても聞くことができます。そのため、アンケート調査の回答結果を使うことで、いろいろな行動の影響を取り除いたうえで、禁煙教室の参加の効果を明らかにすることができるかもしれません。そのための方法はいくつかあり、例えば重回帰分析[※1]は一般的に使われやすい方法です。

おわりに

この章では、自治体においてもデータ活用が求められている理由や、具体的なデータ活用方法を紹介しました。自治体においては、皆さんが負担した税金を使って政策を実行するということから、その使い方が効率的（ムダがない）であるということについてデータを用いて証拠を示すことが求められるようになっています。アンケート調査の回答を使った証拠の示し方も最後に紹介しました。アンケート調査への協力のお願いが配布されると、回答の手間が大きいのに何に使われているのかよく分からないと思う人も多いと思います。しかし、これも、少しでも

※1 重回帰分析
ある変数の値が、どのような要因の影響を受けて決定されるのかを統計的に明らかにする手法。例えば、ある人の幸福度が、どのような要因（健康状態や年収などといった要因）によって決定されるのかを明らかにする場合などに使う。なお、アンケート調査の回答内容から個人を特定するようなことは決してありません。

高い質の証拠を得て、税金をムダなく使って住民の皆さんの幸せを大きくすることを目的とした努力の一つであることを理解していただき、アンケート調査にも前向きに協力をしていただければと思います。

新興感染症とデータサイエンス

データサイエンス学部　准教授　間辺 利江

薬や治療法の効果を科学的に検証するためには、データサイエンスの技術が必須です。さらに、2019年末から私たちの生活を脅かした新型コロナウイルス感染症（COVID—19）のパンデミック（世界的流行）のように、世界の人々の健康生活、医療、公衆衛生に影響する事項の対策や医療提供などの検討にもビッグデータを分析し、様々なデジタル管理ツールを活用して、流行予測や有効な治療方法を検討するなど、データサイエンスが力を発揮します。このように、医療の中では様々な方向から、データサイエンスが重要な役割を果たしています。

本稿では、COVID—19で、データサイエンスをどのように活用したかの実例をご紹介しながら、将来、また発生するであろう新興感染症パンデミックに備えて、有事に私たちの健康生活が少しでも脅かされないようにするための、データサイエンスの力を考えます。

人類の歴史と共にある新興感染症

新興感染症とは、かつて知られていなかった、新しく認識された感染症で、局地的あるいは国際的に、公衆衛生上問題となる感染症と定義されています（世界保健機構／ＷＨＯ）。古くは14世紀にヨーロッパで大流行したペストから、20世紀以降のインフルエンザウイルスを原因としたパンデミックだけでも、スペインインフルエンザ（１９１８年）、アジアインフルエンザ（１９５７年）、香港インフルエンザ（１９６８年）、そして新型インフルエンザＨ１Ｎ１ｐｄｍ09（２００９年）と、新興感染症パンデミックは10～40年の周期で発生してきました。

パンデミック（世界的流行）までいかなくとも、中国や東南アジア諸国を中心に発生している高病原性鳥インフルエンザＨ５Ｎ１ウイルス感染症（２００３年以降）、中国本土で流行した鳥インフルエンザＨ７Ｎ９ウイルス感染症などもあります。

コロナウイルスが原因の新興感染症では、今回の新型コロナウイルス感染症（ＣＯＶＩＤ—19）以前に、ＳＡＲＳ（重症急性呼吸器症候群・２００２～２００３年）や、ＭＥＲＳ（中東呼吸器症候群・２０１２年以降）のアウトブレイク（局地的な短期間の集中的流行）

図表1　新興感染症パンデミック／アウトブレイクの歴史

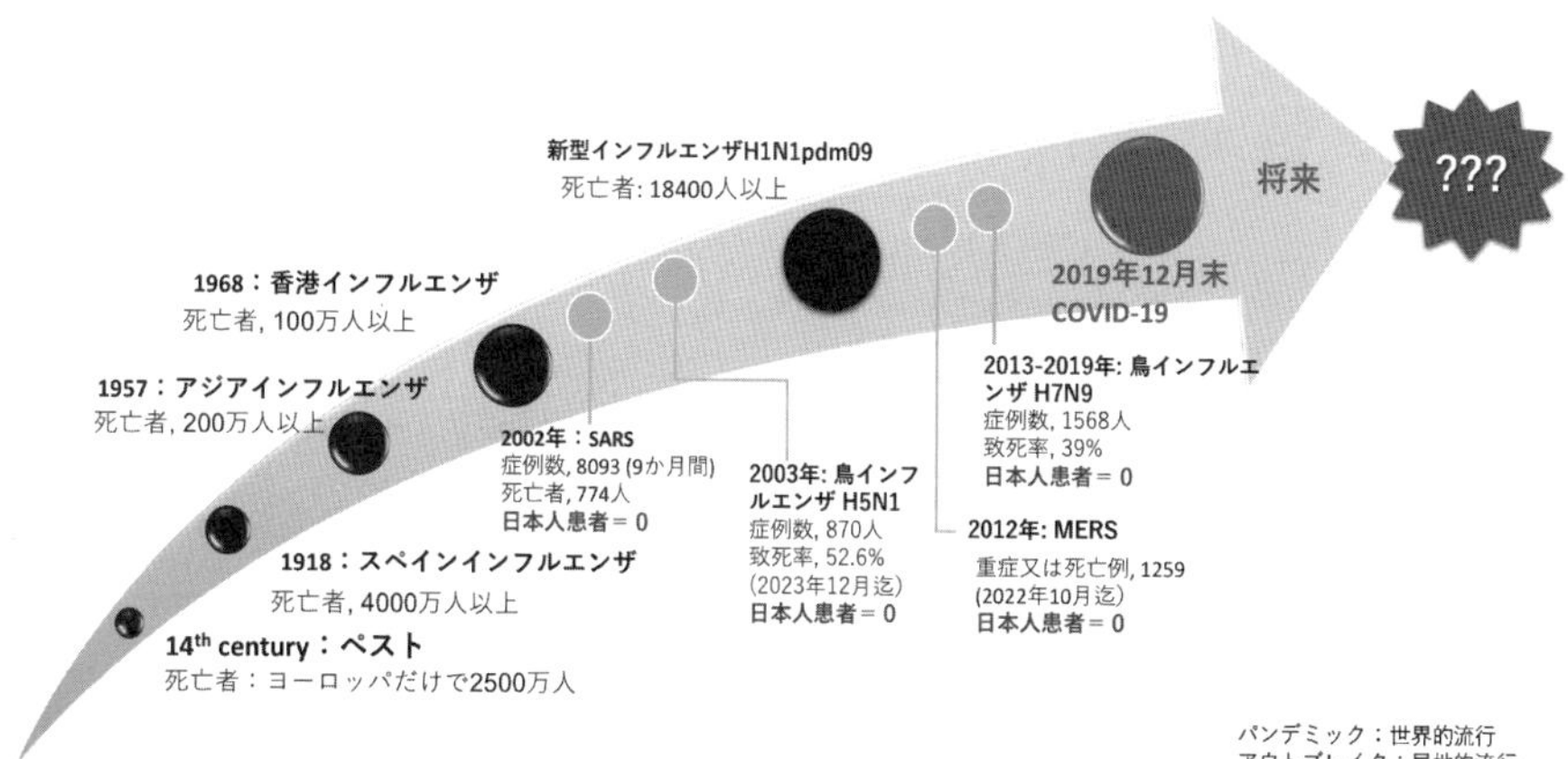

も発生しています（図表1）。しかしながら、これらの新興感染症は、幸いなことに、これまで日本での患者発生がありませんでした。一方で、患者発生がなかったということは、新興感染症に対峙してきた経験が薄かったとも言えます。そのため、今回のCOVID―19では、いざパンデミックが発生すると、国民の意識が薄かったり、対応準備が十分にできていなかったり、対策の遅れなどを引き起こしたともいわれています。将来の新興感染症パンデミックに備えるためには、過去発生の新興感染症を十分に理解し、経験している国々から学ぶべき点が多くあるようです。

新興感染症パンデミック対策におけるデータサイエンスの重要性

COVID―19の発生から約4年が経過し、私たちは新興感染症パンデミックの脅威を経験しました。前述の通り、平時からCOVID―19を含めて、ヒトからヒトへ感染しやすい新興呼吸器感染症の患者の臨床や疫学データを整理し、その対策を講じ、準備をしておくことが重要です。それによって、きっと、将来同様の新興感染症パンデミックが起きた際に、人々の日常生活が脅かされることが減り、そして入院や流行する感染症によって死亡する方々を減らすことができると思います。

COVID―19の流行の最中、私たちは、感染流行状況がこの先どのようになるのか、その行方に不安がありました。長引く自粛生活で高齢者の精神・身体的機能が低下、慢性疾患患者の受診控えなどの課題もありました。医療の現場では、次の流行波に備えた適正な医療や人的資源の配分の程度が不明でしたし、スタッフは疲弊し、感染症以外の診療や手術が困難になる、などの医療崩壊の状態になった地域や医療機関もありました。

しかし、もしも次の流行波が来る時期、流行期間、感染者の数や重症者の数が事前に分かれば、私たちは感染回避と日常生活や経済活動の両立を効率よく行うことができるし、先の分からない不安も解消されます。医療現場では、診療体制の事前準備で、医療崩壊の回避が可能になり、政策についても早期の施策の決定が可能になります。つまり、感染症が、いつ、どこで、どのように、今流行しているのか、今後流行するのか、をデータサイエンスの力で整理し、予測し、その情報を発信することが新興感染症パンデミック対策には必要なのです。

COVID—19は「どこで」集中的に流行している？データサイエンスの試み①

ＣＯＶＩＤ—19等、新興感染症の原因は新たに発見されたウイルスなどが原因のため、発生当初は確定された抗ウイルス薬等による治療方法がなく、新たなワクチンの開発にも時間がかかるため、特に発生当初は、「一人一人の感染リスクを避ける行動」が重要な感染・重症化防御手段となります。そこで、私の研究チームでは、「感染のリスク地域」を可視化し、スマートフォン向けアプリを通して情報発信することで、人々の感染回避行動の意思決定を支援しました。感染リスク地域の情報は、厚生労働省や地方公共団体から公表されている感染者（陽性者）の実データから「疾病集積性」を解析します。「疾病集積性」とは、ある疾病が感染性であるならば、疾病の発生パターンは独立ではなく、空間的（地理的）、時間的に集積している可能性が大きい、という考えに基づいています。

　今から約１７０年前、未だコレラの原因がコレラ菌によるものであると知られていなかった時代、ロンドンに流行があった疫病の原因を探るため、ジョン・スノウ医師は、感染者の家を一件一件まわり死亡者の家をマップ上にプロットしたところ、規則的なパターンがあることに気づき、これにより特定の水道供給施設が原因であることを発見したのです。ジョン・スノウの疾病マップは、疾病集積性を評価するための、古典的な方法であるといえますが、かつ確実な方法でもあるでしょう。ジョン・スノウ医師は現在では「公衆衛生の父」と呼ばれています。現代の私たちは、疾病の空間的（地理的）な集積性は、統計解析やシミュレーション技術を使って、リスク地域の同定とそれのマップへの落とし込みが可能です。

　日本でのＣＯＶＩＤ―19は、２０２０年１月15日の最初の感染者

図表2　日本におけるCOVID-19（陽性者）の経時的変化
2020年1月15日 – 2023年5月7日

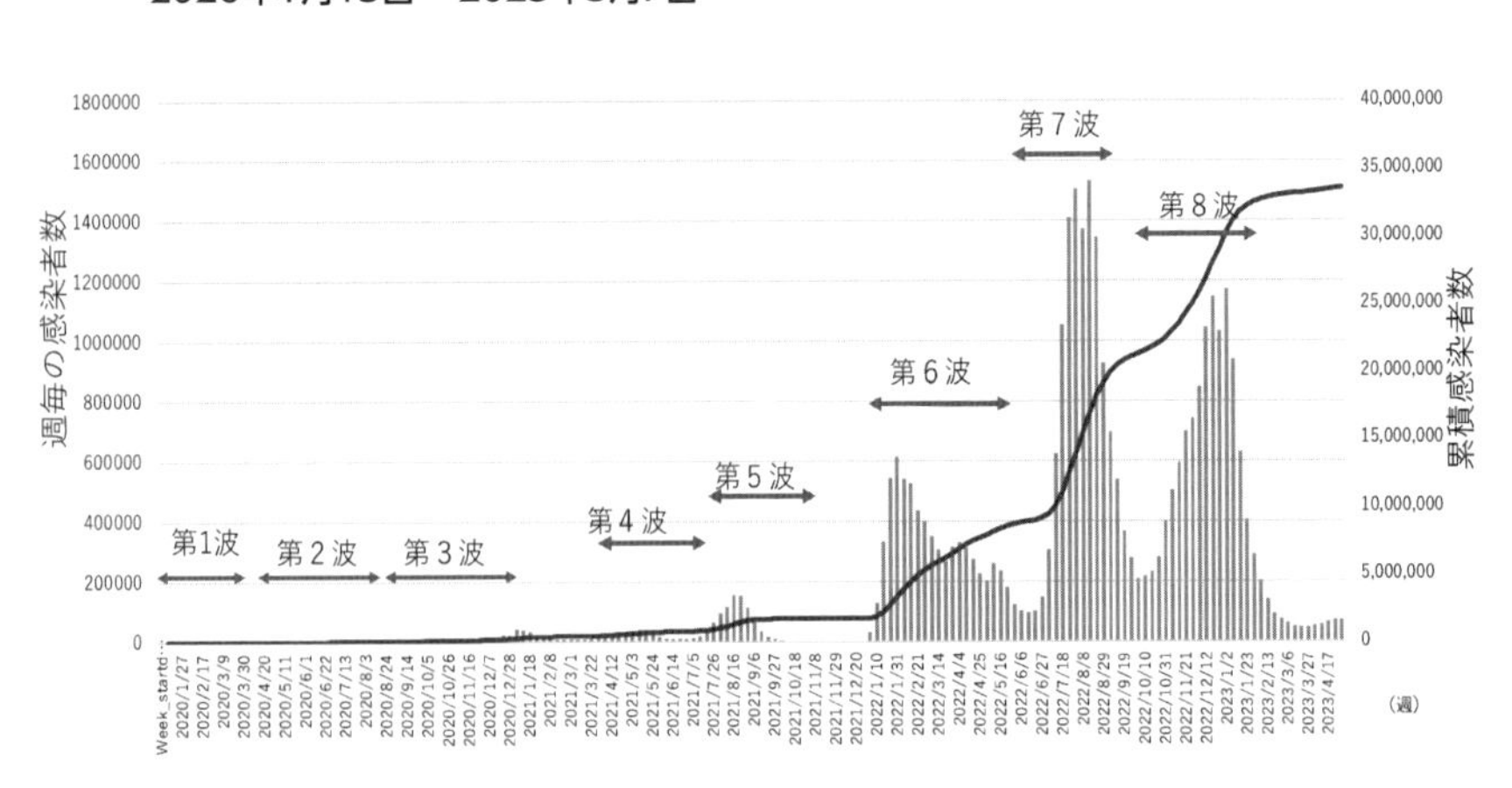

の報告から２０２３年５月８日に感染症法上の位置付けが５類感染症になるまでに、国内陽性者は３千３８０万２７３９人、死亡者は７万４６６９人が確認されています［厚生労働省新型コロナウイルス感染症の現在の状況について（令和５年５月８日版）］。この間私たちは、８回の流行波を経験しました（図表２）。日本全体の流行波ごとの感染者の集積地域を図表３に示します。

最も濃い部分が第一集積地域で、感染者が集中していた地域を示します。本地図から、ＣＯＶＩＤ－19は、東京を囲む首都圏に主に集積しましたが、流行波により集積地域は常に一定ではありませんでした。特に、第１～３波の第一集積地域は首都圏、第４波は大阪や兵庫の関西地域に移行しました。第５、６波では、再び首都圏に集積し、感染者数が爆発した第７波では初めて九州に集積しました。第８波は九州と山口、岡山などの本州の西端地域に、第２集積地域ではありますが東北地方に初めて集積性が観察されました。研究チームでは、東海三県（愛知県、岐阜県、三重県）のＣＯＶＩＤ－19の経時的変化を評価し、第７波以降は、集積地域は首都圏や関西圏、西日本など地方へ移ったことを明らかにしました。その様子の詳細は中日新聞から

図表3　日本におけるCOVID-19の流行波毎の集積地域（ホットスポット）

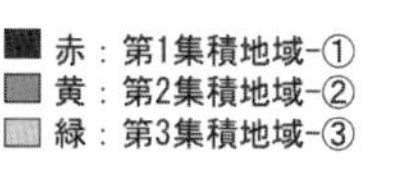

RR：相対リスク

第１波
2020/2/10～2020/5/24

第５波
2021/6/21～2021/10/3

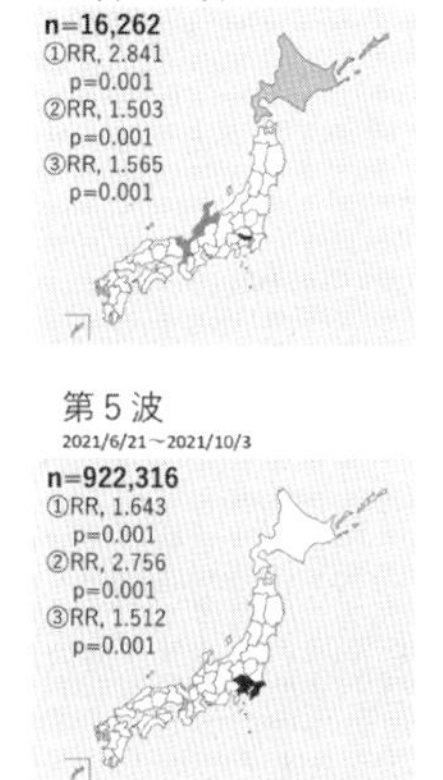

第２波
2020/5/25～2020/9/27

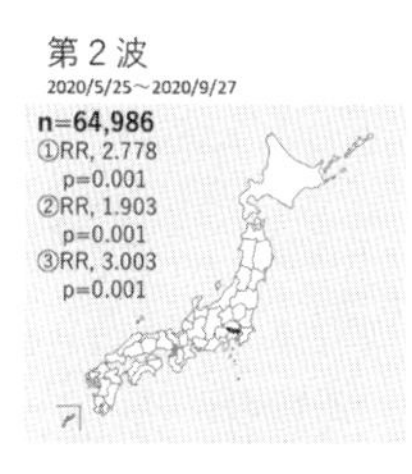

第３波
2020/9/28～2021/2/28

第４波
2021/3/1～2021/6/20

第６波
2021/11/29～2022/6/19

第７波
2022/6/20～2022/10/9

第８波
2022/10/10～2023/4/2

動画も発表されています（図表４）。

ＣＯＶＩＤ—19は「いつ」この地域で流行が始まるのか？ データサイエンスの試み②

ＣＯＶＩＤ—19は２０１９年12月末に、中国湖北省武漢市から初めて報告がありました。その後、中国本土内に感染が広がっていきましたが、中国本土以外では、翌２０２０年の１月13日にタイ、15日には日本から輸入例（中国で感染して、国内発生例として確認された例）が確認されました。１月末までにはヨーロッパや米国を含む20の国から感染者が報告されています。感染者はどのように拡散していくのかを検証することは、例えば、自分の住んでいる国や県に、いつ感染が伝搬してくるのか、を知ることにつながります。

本件の解析に、私たちの研究チームでは、「有効距離」という概念を用いました。有効距離とは、実際の距離にその間を移動した乗客数などを重み付けした距離のことをいいます。東京と北海道の実距離は遠いですが、その間を飛ぶ航空機の乗客数が多く、移動する人が多ければ、北海道よりも実距離が近いはずの例えば東北の県のよりも、有効距離は近くなります。私たちは、国内のＣＯＶＩＤ—19の第１波と第２波の拡散を有効距離で解析しました。すると、感染の到達時間と有効距離は線形に拡大していることが明らかになり、感染者が発生した場所を特定できれば、その時点からの有効距離を検討

図表4

2023年5月9日 中日新聞 朝刊

することで、各県へ感染がいつ到達するのかを予測できる可能性を認識できました（図表5）（Nohara Y and Manabe T. PLOS ONE, 2022）。

COVID—19は「どのくらい」流行しているのか？データサイエンスの試み③

2023年5月8日から、COVID—19は感染症法上の第5類感染症へ移行し、法律に基づいた政府や都道府県などがとる措置が変わりました。感染者への入院勧告や、感染者や濃厚接触者の外出規制、マスクの着用の推奨などの措置が変わりました。同時に、全国の感染患者の増減を地区ごとに選んだ全国約5000の医療機関から報告を受けて調べる「定点把握」という方法に変わりました。これまでの全数把握に比べると、定点把握は全国的な感染動向を捉える精度や頻度が低下します。季節性インフルエンザもこれまで定点把握で感染者の動向をつかんできた経緯もあり、1定点当たりの感染者数が10人以上で「注意報」、30人以上で「警報」を発表しています。しかし、COVID—19の場合、厚生労

図表5

COVID-19第１波の有効距離と感染の到達時間

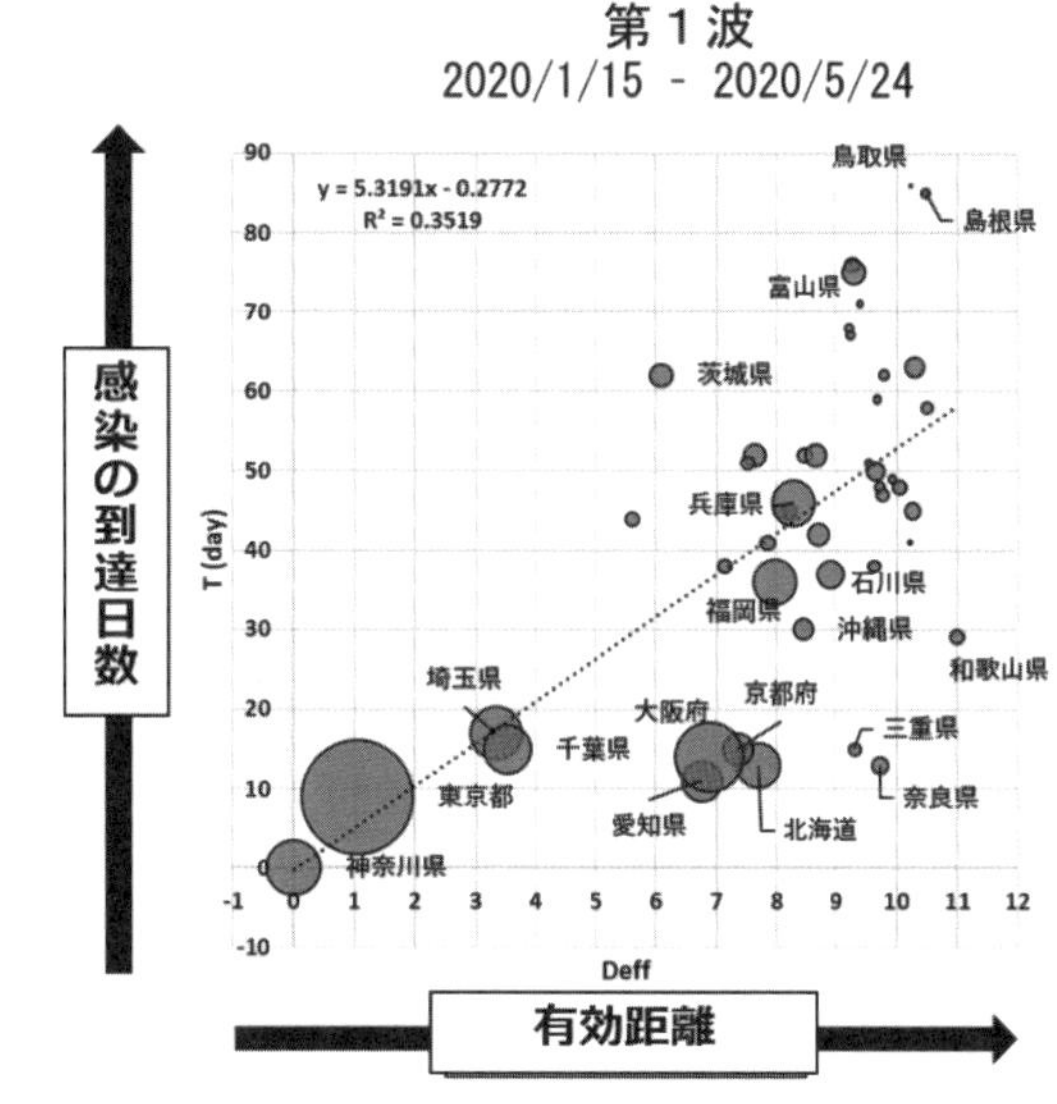

＊有効距離:都道府県間を移動する旅客数で重み付けしたネットワーク上の最短距離）

（Nohara Y and Manabe T. PLOS ONE, 2022より一部改変）

働省は現状ではこうした注意報や警報を出す予定はないとしています。しかしながら、私たちはＣＯＶＩＤ−19の発生以降、これまで全数把握で、自分の住む地域や都道府県の感染者の状況について、メディア等から発信されるニュースなどを通じて理解してきました。それが、定点からの医療機関からの報告数が何人、といわれることになりますが、これまでのように、自分の住む地域に何人の感染者がいる、ということを実感することが難しいですよね。

　私たちの研究チームでは、感染状況の把握が困難になった現状に対応するために、厚生労働省が公開する都道府県別の定点医療機関からの新規感染者数を利用し、研究グループがこれまで蓄積してきた疾病集積性のデータ等から、感染者の実数を「推定」し、これを公表することとしました。これは、「統計数理モデル」に基づくものです。この統計数理モデルとは、感染状況がどのようなパターンをたどったかを統計的に研究チームで独自で検討し、どのような集積性があった時に、流行波が始まり、そこから何週間後に流行のピークが来るなどのパターンを数理的に検討したものです。定点からの患者報告数から、そのパターンに従う場合に、現在の実感染者の数は、何人であろう、ということを推定しますが、推定値は、実感染者（陽性者数）の報告があった時期に合わせてみると高い精度であることを確認できます（図表6）。

図表6　全国の感染者数 経時的変化

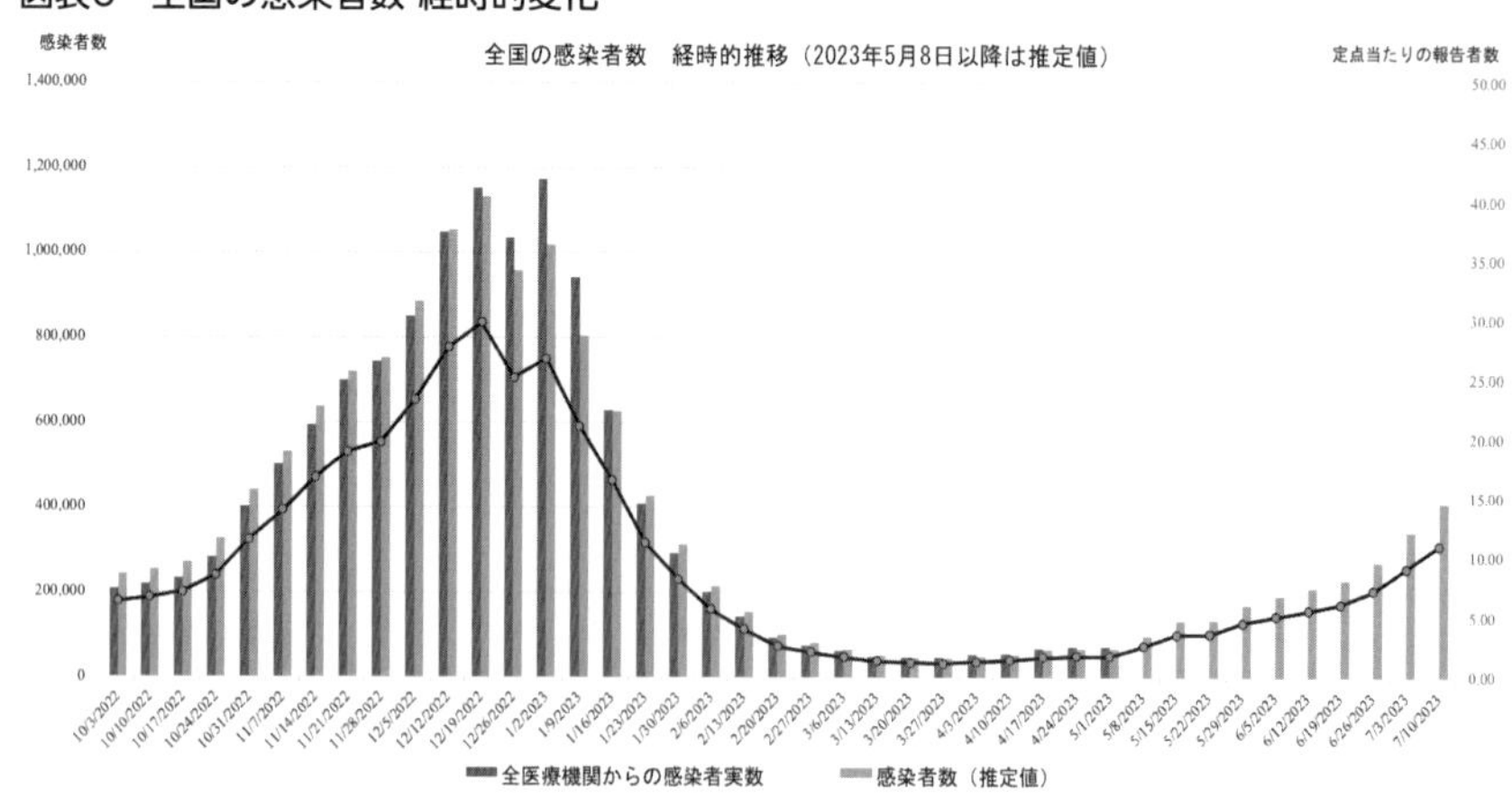

（COVID-19 Research Library https://research.eid-library.gr.jp/ より）

研究グループでは、現在も、本推定値をウェブサイトで公開しています。あくまでも、実際の感染者数を表すものではないですが、本情報から、マスクの着用をした方がよいとか、今は人混みに出るのは控えておいた方がよいなど、みなさん自身の感染リスク回避行動を決めるための一つの指標として、使っていただければ幸いです（図表7）。

おわりに

筆者は、保管されていた100年以上前のスペインインフルエンザ（当時は「流行感冒性肺炎」と診断）の患者の診療録のデータを使用し、100年前には、まだ知られていなかったCox比例ハザード分析という統計の手法を用いて、重症化のリスク要因の検討研究を行った経験を持ちます（Kudo K, Manabe T, et al. Emerg Infect Dis. 2017）。今回のCOVID―19パンデミックを受けて、人類の歴史の中にまた新たなデータの蓄積がありました。今後、統計解析手法、AI、シミュレーションなど、データサイエンスの分野はますます発展や技術の発展があることでしょう。データサイエンス研究によって、将来人々が新興感染症に負けない社会の創成がされるであろうことを期待して、さらなる技術の獲得と展開をしたいと思います。

図表7　WEBサイト
「COVID-19 リサーチライブラリー」

https://research.eid-library.gr.jp/

熟練者の技をデータが解き明かす

データサイエンス学部　教授　横山 清子

熟練技を駆使する技能者を現代の若者が目指すには、「師匠の背中を見て技を学ぶ」から、「スマートフォンのゲームで学ぶ」や「VRの世界でCGキャラクタに教えてもらう」への転換が必要と考えます。熟練者の高齢化と技能工の人材不足が大きな課題となっている建設・土木業界における若手人材を業界に呼び込み定着させるための、データサイエンスを活用した技能伝承の事例を紹介します。

熟練者の動作を分析する

塗装工が壁に塗料を塗る、左官工がコテで床面を仕上げるといった作業を学ぶ時、熟練者の手の動かし方や全身の姿勢を真似るのではないでしょうか。熟練者の技の分析に作業中の動作や姿勢を記録したデータが利用できます。人の動きを記録し再現する方法の一般的なものはビデオ映像です。ビデオ映像は作業動作をそのまま見る、あるいは注目部分の静止画へのキャプチャや、スロー再生でじっ

図表1

くり観察するなどが可能なので、手軽でわかりやすいデータといえます。しかし、手を動かす速さの変化や、道具を持つ手の角度といった科学的な分析にはビデオ映像は適していません。また、仮想空間内やゲームのキャラクタの動画として再現するためのデータとしてもビデオ映像は活用できません。

熟練者が長い年月の経験から身に付けてきた技は、熟練者自身も言葉で説明しきれない部分もあり「暗黙知」とも呼ばれます。この「暗黙知」をデータから引き出してわかりやすく「見える化」するためには、高精度かつ様々な科学的分析に利用できるデータの取得が必要になります。

このようなデータ測定に適した装置の一つとして光学式モーションキャプチャがあります。最近の話題としてＶｔｕｂｅｒの動作生成に用いられているといったことでなじみがあるかもしれません。光学式モーションキャプチャは、全身の関節、手先、頭などに張り付けた光を反射する小さな球状のマーカを全周で被写体を囲む複数台のカメラで撮影し、それぞれのマーカの３次元空間内での座標位置を連続的に記録する装置です（図表1）。あらかじめ作成した３ＤＣＧキャラクタの頭や手などの部位とマーカを関連付けることで、仮想空間やゲーム内のキャラクタを用いて動画として測定した動きを再現することができます。また、マーカの座標という数値データなので、塗装道具を操作している手の速さの変化、コテを持っている手の甲の角度などを計算することも可能です。

熟練技の暗黙知をわかりやすく表現するために、分析結果の可視化（グラフや図に表す）も重要です。図表2は建築塗装の熟練者が１８０㎝×90㎝のボード全

図表2

熟練者がローラーブラシで塗装を行っている時のローラーを動かしている手の軌跡（3種類）
人によって塗り方が異なっていることがわかりました

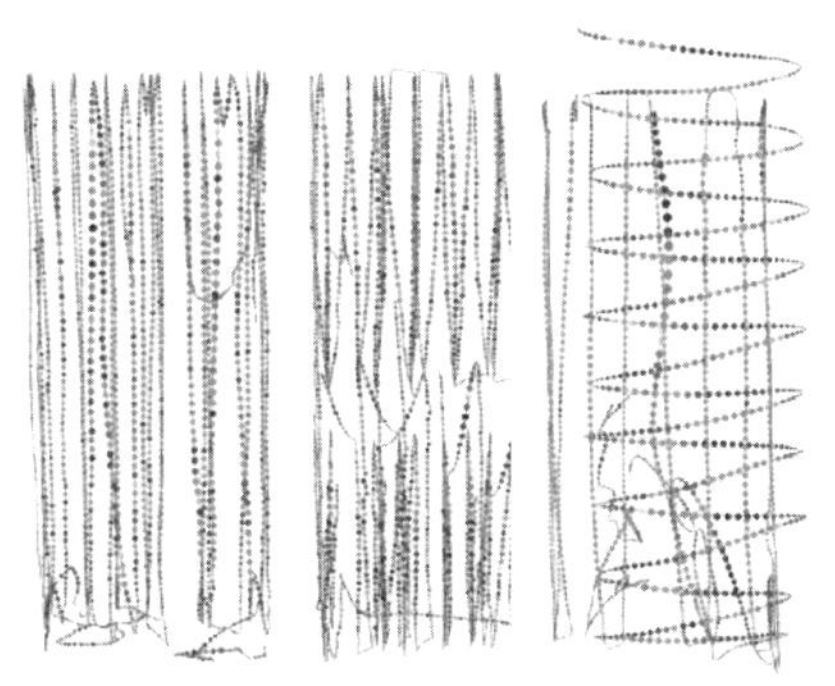

面をローラーブラシで塗装した時の手の動きの軌跡を3種類示しています。11名の熟練者を対象として、光学式モーションキャプチャでデータを測定しています。軌跡を可視化した結果、全員同じ動作で塗装しているわけではなく、この実験では人により3種類（上から下まで一筆で塗装、上段と下段の2段に分けて塗装、水平方向にローラーブラシを動かす「ムラを切る」塗装）の方法で行っていることがわかりました。また、図表3は熟練者と未経験者の軌跡を示しています。軌跡の太さは手の動きの速さに対応しています。熟練者は軌跡の太さが一定、すなわち手を動かす速さが一定であることと比較して、未経験者は軌跡の太さが不ぞろいで動きの速さが一定にならないことがわかります。

熟練者の筋肉の活動を分析する

動作や姿勢は視覚的に理解できます。しかし、作業を行う時にどこの筋肉を使ってどれくらいの力を出しているかを直感的に捉えることは難しいと思います。どの筋肉がどれくらいの力を発揮しているかを測る一つの信号が筋電です。筋肉が力を発揮する時には筋繊維が収縮します。この時に発生する活動電位の総和が筋電です。収縮する筋繊維が多い、すなわち発揮される力が大きければ筋電の値も大きくなります。簡便な筋電の測定方法の一つは、測定したい筋肉の表面に2つの電極と呼ばれる電位を測るセンサーを電気を通す糊で固定します。この2つの電極の電位差が筋電になります。数ｍＶ（１Ｖの千分の１）～数十ｍＶと微弱な

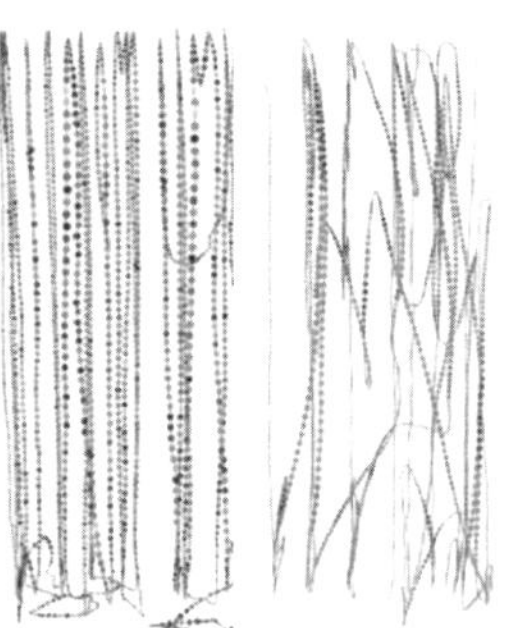

図表3
ローラーブラシで塗装を行っている時のローラーを動かしている手の軌跡（左:熟練者　右:未経験者）
線の太さは塗る速度を表しています。熟練者は一定の速度、
未経験者は速度のばらつきが大きいことがわかります

ので、測定時に雑音の除去や増幅を行います。

図表4は図表3と同じ熟練者（左）と未経験者（右）の塗装軌跡の上に、円の大きさで二の腕の筋電から求めた筋肉の活動度合いを示しています。熟練者は図の底部にサイズの大きい円が表示されており、ボードの下から上に塗装の方向転換をする時だけ大きな力を発揮していることがわかります。それと比べて未経験者の軌跡は上半分に大きな円が多く見られ、熟練者とは力の入れ方が異なっていることがわかります。熟練者はローラーブラシを重力に抗して下から上に引き上げる時だけ力を入れ、それ以外は無駄な力が入っておらず、疲労の少ない効率的な作業を行っていることがこの図表から推察できます。

熟練者の視線を分析する

現場での作業においては、様々な状況に対応して適切な動作や操作を選択し実行することになります。状況判断において視覚から得られる情報を用いることが多いと思います。熟練者の技の暗黙知を引き出すためには、前述の姿勢や動作に加えて、作業中に「何を見て」その結果として「何をした」という情報も有用です。

動作や姿勢は他人が見て真似ることは可能です。しかし、ある作業を行っている時に、作業者が視覚からどのような情報を得て、その情報をどのように活用したかを、他人が見て推察することは難しいです。顔の向きを見ても、その人が何を注視しているかまではわかりません。さらに、状況が時々刻々と変化する現場

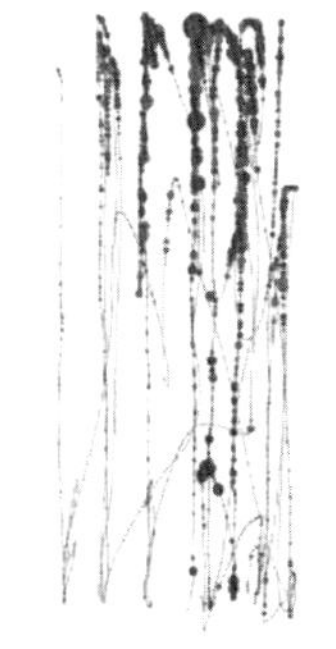

図表4
ローラーブラシで塗装を行っている時のローラーを動かしている手の軌跡と二の腕の筋活動（左:熟練者　右:未経験者）
筋肉が大きな力を発揮していると円が大きくなります。熟練者は下から上にローラーブラシの向きを変える時だけ力を発揮していますが、未経験者はボード上部で大きな力を発揮し、熟練者とは力の入れ方がかなり異なっています

作業において、どのような状況の時に何を見て、見た情報をどう活用して作業を行っているかを言語化することは熟練者にとっても難しく、まさに暗黙知と言えます。

人が注視している位置を測定する装置の一つが視線追跡装置です。眼鏡や帽子に、視野カメラと呼ばれる装着者の顔の向きに合わせてビデオ映像を記録するカメラと、眼球の向いている方向を測定するセンサーが装着されています。眼球は球体なので、一定方向から照射した光の反射の方向が眼球の動きに対応して変化します。この反射の位置から注視点を計算し、それを視野カメラの映像に重ねることで、どこを見ていたかがわかります。

図表5は熟練重機オペレータが、バックホーを操作して道路の掘削作業を行っている様子です。画面内の灰色の円は重機オペレータの注視点（見ている位置）を表しています。写真の下の帯グラフは、見ているもの（掘削した穴、バックホーのバケット、外にいる作業員など）の時間推移を示しています。このグラフから長く見ていたものは何か、作業工程に対してどの順番で何を見るかなどを読み取ることができます。

図表5　熟練重機オペレータが道路掘削作業を行っている時の視線分析の例

暗黙知を伝える

建設土木業界における技能伝承については、国土交通省や業界団体において、すでに様々な取り組みが行われています。国土交通省が制作し公開している建設技能者の技能を映像で学べる研修プログラム（建トレ）はその代表的なものです。初心技能工の教育、中堅技能工のリスキリングを目的としています。モーションキャプチャなどのＩＣＴ、３Ｄモデルなども活用したデジタル教材になっています。

先に記述した塗装の軌跡はウェブサイトで参照できるようにしています。スマートフォンに対応したサイトとして制作し、若い技能工が休憩時間などに気軽に見ることができます。動きを学ぶだけでなく、熟練技能工が制作した優れた塗装事例も掲載しています。塗装が施されている空間内を全方向カメラで撮影し、ウェブページ上ではスワイプで見る位置を変える対話的な要素も加えています。

図表6は試作したウェブ上で動作する塗装動作教育用アプリケーションの例を示しています。3種類のコンテンツから構成されています。3種類とも3DCGキャラクタがモーションキャプチャで測

図表6　試作を行った塗装動作教育用アプリケーション

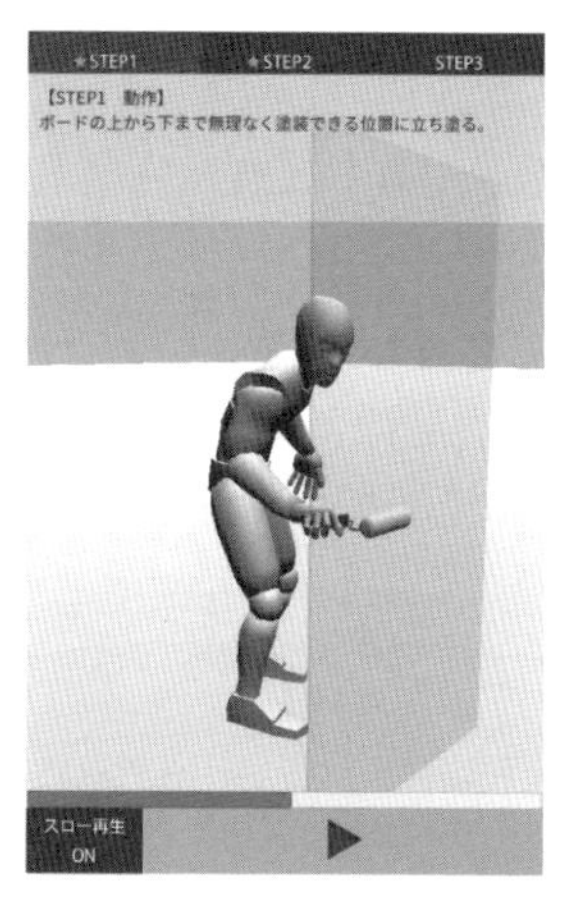

定した熟練者の動作を動画として再生します。1つ目は動作だけを再現します。2つ目は動作と塗装時のローラーブラシを操作する手の動きの軌跡を同期再生します。3つ目は手の動きの軌跡に加えて、腕、肩、背中、大腿の筋肉の活動度合い、すなわちどの筋肉を使って動作しているかを動きに同期させて見ることができます。スマートフォンと同じ操作方法で見る位置やサイズを変えることができます。どの動画を見るかや再生速度なども自身で選択できる対話的な要素を加えることで、ゲーム感覚で利用できるようにしています。また、それぞれの動画には、熟練者の作業に関する解説や動作で意識していることなどを簡単な文字情報として記載し学習効果を上げるように工夫しています。

左官作業、重機操作を対象として、熟練技の暗黙知をデータサイエンスの観点で分析した結果と考察した内容をデータベースとして保存、公開するウェブサイトを準備しています。左官作業については、モーションキャプチャで測定した動作分析の結果から全身の動きの特徴を動画や身体部位の軌跡で表現します。特に左官作業の場合、コテの水平面に対する角度の変化が重要であり、それをわかりやすく可視化できるように工夫しています。重機操作については、状況をどのように判断して操作が行われるかを見える化する必要があります。状況を記録している視野カメラの映像に対して、注視点がどこにあるかをわかりやすく表現します。左官作業、重機操作どちらも、複数名の熟練技能工に動作軌跡やコテの角度変化、注視点情報の可視化を行った映像を視聴していただき、日頃作業中に意識していること、なぜその動作や操作を行ったかなどの振り返りインタビューを行います。これにより日頃意識することなく行っている熟練作業の暗黙知の一部を言語化することを試みます。このようにして得られた情報もデータベースに保存します。

現在、初心者のための技能教育や中堅技能工のリスキリングのためのＭＲ(Mixed Reality：現実世界に仮想空間の情報を重ね合わせたもの)ゴーグルを用いて、熟練者の動作を再現する３ＤＣＧキャラクタに自身の動作を合わせる、あるいは状況に応じて注視する位置を音声や画像で知らせるなどの機能を搭載したコンテンツの作成を始めています。そしてその先には、状況判断を行う画像処理ＡＩとデータサイエンスにより明らかにした暗黙知を組み合わせた熟練技能再現ロボットが開発できると良いと思っています。

会計学とDX（デジタルトランスフォーメーション）

データサイエンス学部　教授　奥田　真也

会計を学ぶと聞いて、最初にイメージするのは簿記ではないでしょうか。また、税理士や公認会計士といった職業を思い浮かべる人も多いと思います。そんななか、会計とデータサイエンスがどのように結びつくのか疑問に思う人が多いかもしれません。そこで本章では会計にＤＸ（デジタルトランスフォーメーション）が起こるとはどういうことなのか、歴史を追って説明していきます。

会計は経営ＤＸの始まり

実は最初に経営で情報システムが導入された分野は会計（簿記）です。これは考えてみれば不思議ではなく、会計はすべて数字（金銭単位）で記録されています。計算量自体は膨大ですが、実は簿記においては引き算もほとんど出てこないくらい足し算ばかりの体系です。計算量が膨大なため手計算では間違いがどうしてもでてしまいますし、簿記のテストではそれに泣かされた人も多いかもしれま

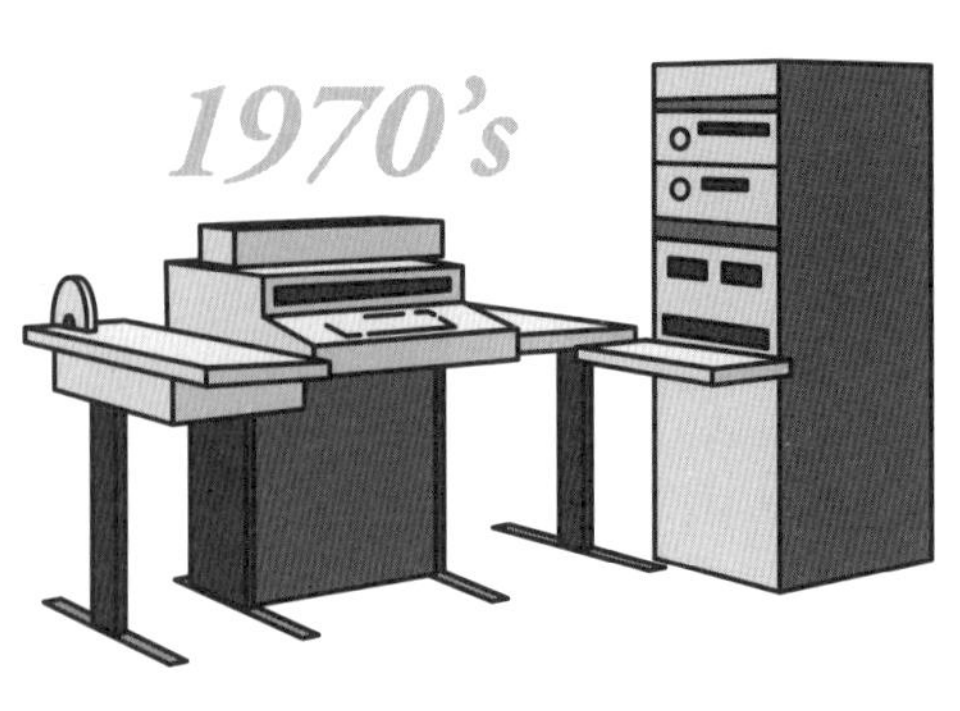

せん。しかし、大量の単純計算を間違いなく行えることがコンピュータの最大の利点であることからも、会計と情報システムの親和性が高いことは理解できるのではないでしょうか。つまり、経営ＤＸは会計から始まったといっても過言ではないのです。

このようななかで情報技術を単に計算のみならず、計算の結果得られた計数値などをもとに意思決定に役立てようという流れも出てきました。これが意思決定支援システムです。１９７０年代にデータから意思決定を支援するためのシステムとして開発が始まり、対話によってデータ分析を容易にするシステムが開発されました。対話を行うために人工知能（ＡＩ）が導入され、活用され始めたのもこの時代です。昨今流行りの生成ＡＩもチャットにより質問に答えてくれるので、対話によって意思決定支援を行うものといえます。つまり、50年近く前から似たようなシステムが生まれて、流行って、廃れて、また次の次元のものが生まれる、を繰り返してきたことがわかります。

すでに起こった未来　会計ＤＸ

ＤＸによりホワイトカラーが削減される、ホワイトカラーの必要がなくなると言われています。何が起こるのか、さまざまな予想がされています。ただ、未来予想は大変難しいので、いろいろな人がいろいろなことを言っています。これに対して、すでにＤＸでホワイトカラーが削減された分野がどうなったのかを振り返ることが役立つのではないでしょうか。それは、じつは会計だというのが私の主張です。

昭和の時代であれば、店ごと、支店ごとに経理担当者がいて、その担当者が帳簿をつけていました。いくらコンピュータがあったといっても、ＰＣはほとんどなく、ましてやネットワークもない時代では、その場その場できちんと帳簿をつけられる人が必要だったのです。このため、商業高校や短大で簿記を学んだ人の就職は極めて有利でした。

また作成された帳簿を見るのも大変でした。現代と違ってコピーも大変で、グラフを作るとなるとコンパスや定規を取り出して、方眼紙に書いてと一苦労でした。だから、紙の帳簿を見て、自分で電卓（場合によってはそろばん）をたたいて確かめるという作業が必要だったのです。こうした状況では社員全員が経営状況を把握するために経営分析を行うというのは夢物語だったのではないでしょうか。

現在ではどうでしょう。たとえば、コンビニに行くと、バーコードで商品が読み取られて決済されますが、同時に自動的に帳簿に記帳が行われています。帳簿をきちんとつける人はコンビニでは必要なくなったのです。企業の支社や子会社でも同様の事態は起きています。過去には支社や子会社に必ず経理担当者がいました。もちろん、大規模な会社や支社なら現在でもいらっしゃると思いますが、シェアードサービスというやり方で、本社の一部門や、会計専門の子会社が一括して経理を行うという方法が増えてきています。これによって、高度な判断を支社や子会社で行う必要がなくなったため、支社や支店での経理部員が削減されました。

コンビニのようなチェーン加入による支援を受けていない独立系の中小企業においても会計ＤＸは進んでいます。銀行やクレジットカードの履歴から会計の帳簿付けを自動で行う機能を持ったクラウド会計情報システムが、中小企業で使われるようになりました。帳簿付けに時間を割くことが減り、それでいながらリアルタイムで経営状況を把握できるようになってきているのです。

このように会計数値の作成には人がいらなくなる一方で、利用者は多数に及ぶようになったということが、会計ＤＸはすでに起こった未来といえる理由です。

これからの会計DXは内部監査DXへ

もちろん、会計ＤＸはさらに進んでいくでしょう。今後適用が期待されている分野が内部監査に関するＤＸです。特に継続的監査と呼ばれる分野は、米国ではかなり応用が進んでいるので、これから日本でも同様になるのではないかと思われます。これまでの監査はすべての取引を監視するのは不可能だという前提で、怪しいことが起きそうな取引は詳細に、そうでないところは少なめに監査が行われてきました。これに対して、継続的監査ではＩＴの力を借りることですべての取引について怪しいか否かを判定することを目指しています。

こうしたことを行うためには、そもそも全ての取引が電子的に記録されて、ＩＴによって分析可能な状態になっている必要があります。これ自体が意外にハードルが高く、部門ごとに情報を記録し、まとめて本社の会計担当者に報告するというやり方がこれまで行われてきましたが、これでは本社の会計担当者や監査担当者がその部門の取引を一つ一つ確認することができません。そのため、不正の発覚が遅れるということがしばしばありました。ところが、会計業務が一元化されるなどによって、どんな小さな部門でも、その帳簿を本社が把握できる体制になりつつあります。これにより内部監査ＤＸを行う前提が整ったといえるでしょう。

しかし、いくら分析可能なデータがそろっても、それを分析できなければ宝の持ち腐れです。このデータをどのように分析して問題のある取引を見つけ出すのか。ここでは統計学や機械学習といったデータサイエンスの手法が使われます。例えばクレジットカード業界では、それまでとはあまりに違う取引が見つかった場合にその取引はおかしいというように、不正使用の検出にデータサイエンスが使われていますが、同様の手法で企業内における取引を見つけ出そうとするものです。このようにデータを利用できる状況を整えたうえで、それを分析する人材が増えることがＤＸを推進するために重要なのです。

会計DXに対応できる人材

さてここで気になるのは、情報技術の進展でその分野にかかわる人がどの程度必要なくなるのかについてではないでしょうか。ホワイトカラーの多くが生成AIで代替されるという記事を見ると、自分のクビも危ないのではないかと危惧する人が出てくるのは自然な流れでしょう。ではどんな業務が代替されて、どんな業務は代替されないのでしょうか。

ここまで述べたように監査にAIが導入される流れもあり、会計専門職たちにとっても非常に気になる話題のようです。それもあってか、理化学研究所革新知能統合研究センターが日本公認会計士協会の協力のもと、2022年1月26日に「AI等のテクノロジーの進化が公認会計士業務に及ぼす影響」という報告書を公表しています。この中では公認会計士業務について、証票の突合や定型的な監査手続きなどの単純作業は、かなりの部分がAIに代替されるのではないか、という報告を行っています。それに対して、クライアントとの調整やイレギュラーな事項の判断などはあまり代替されないだろう、と報告されています。典型業務、つまり繰り返し行われるような業務はAIの得意とするところなので、こうした作業は代替されてしまうと考えられます。ところが、人と人との調整にかかわる業務、突発的に発生するような業務はAIが得意とするところではないので、人がやり続ける必要があると解釈できます。

　このような解釈を前提とすると、人と関わる仕事、いつもとは違う事象に対応する仕事はＡＩが発達しても残り続けると考えられるのではないでしょうか。そういった能力を身に付けていくことがＤＸ時代に身に付けるべきスキルになると思います。

コラム
Column
1

紅茶が先かミルクが先か

名古屋市立大学データサイエンス学部　教授　各務 和彦

疑わしきは罰せずといわれる裁判において、科学的な証拠が採用されるようになってきています。代表的なものの一つがDNA鑑定であり、DNA鑑定の精度が劇的に向上したことが、証拠として採用されるようになった要因であると考えられます。そのような中、海外においては、統計的な証拠が裁判でも採用されるようになってきています。統計的仮説検定とは、仮説を検証するための統計的方法の一つであり、現在では、裁判においても証拠として採用される統計的手法の一つです。

統計的仮説検定を正確に説明するのは容易ではありませんが、たとえば、ダイエット食品にダイエットの効果があったかどうかを知りたいときには、データに基づいて、ダイエットに効果がなかったという仮説を否定することができれば、そのダイエット食品にダイエットの効果がある可能性が高いと考える方法です。

ある婦人が、ミルクティーを飲んだときに、紅茶を先に入れたミルクティーなのか、ミルクを先に入れたミルクティーなのかわかると主張しています。そこで、婦人にどちらの入れ方かわからないようにして、10杯飲んでもらったところ、10回とも正解を言い当てることができたという話があります。私にはこれら2つを区別する味覚を持ち合わせていないので、10回実験しても、当てずっぽうで答えるしかなく、正解は半分ぐらいでしょう。しかし、この10回の結果を用いて、統計的仮説検定を行うと、当てずっぽうで答えたという仮説は否定され、この婦人の主張が妥当である可能性が高いことを示すことができるのです。

このように、統計的仮説検定は、不可思議な現象に対しても、妥当な結果を与えそうであることは想像できるかもしれませんが、同時に、可能性が高いということを示しただけであって、100%信頼できる証拠ではないということには注意が必要です。

ものづくりに活かされるデータサイエンス

アイホン株式会社　商品企画部マーケティング企画課　山下　咲衣子

最近購入した商品、もしくはよく利用するサービスはありますか？　私たちの生活は様々な商品やサービスに支えられています。より多くの人によりよい商品やサービスを提供するために企業は日々開発に取り組んでいます。いいものづくりにはデータが欠かせず、様々な過程でデータが用いられます。ここでは、ものづくりに用いられるデータについて解説します。

ものづくりの判断に欠かせないデータ

商品やサービスを作る過程では常に調査や評価をし、そのデータに基づいて、製造者の利益につながり、顧客にとってより良いものを生み出します（図表1）。例えば、ものづくりの上流工程であるマーケティングは「売れる仕組みを作る」ことが求められます。どのような市場があり、自社の強みを活かせるのか、どれだけ売上が立てられるか、など市場調査します。

また、企業によって担当部署は様々ですが、商品・サービスのコンセプトがターゲットに受け入れられるのか需要性評価や、試作品の評価などを実施します。これらはものづくりの序盤であり、発売後まで調査や評価は続きます。ものづくりにはデータは切り離せないものなのです。

ではなぜこれほどまでに調査が求められるのでしょうか？　それは商品開発精度を高め、成功する確率を高めるためです。ものづくりには専門性の異なる多くの人が携わります。何千万、何億円と動く商品開発において「～だろう」という主観では誰も納得できません。本当に顧客が求めているのか、思い込みではないのか、という疑念を徹底的に潰し込み、「真のニーズは何なのか」を追求し、日々調査や評価をしているのです。

ユーザーの使いやすさを追求する人間中心設計

いいものづくりにはターゲットとなるユーザーへの理解が重要です。作り手がユーザーに寄り添い、深く理解し、改善を繰り返しながら設計することで、ユーザーが正しく・効率的に使用できる商品やサービスの開発につながります（図表2）。この取組みを人間中心設計といい、多くの企業が取り入れています。

人間中心設計の一連の流れ

⓪人間中心設計プロセスの計画

図表1

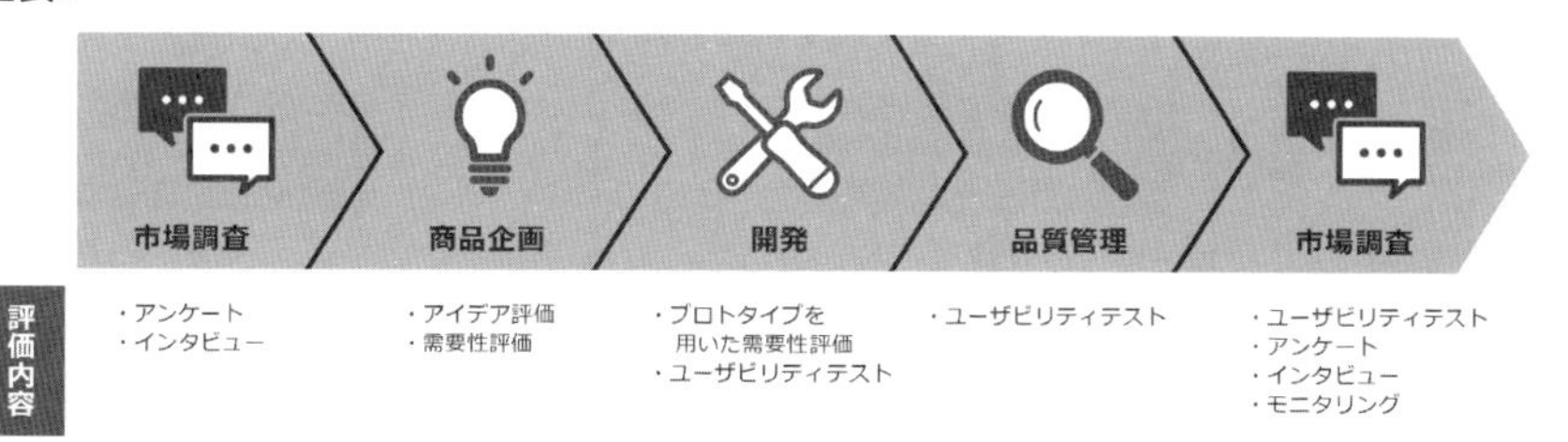

はじめにプロジェクトの目標を定め、開発のどの段階でどのように調査・評価をするのかを計画します。

①利用状況の把握と明示

ユーザーの「利用状況を理解し明確にする」ために、様々な調査やインタビューにより、ユーザーの行動とその背景などを深く理解します。

②ユーザーの要求事項の明確化

ユーザーの「要求内容を明確にする」ために、利用状況を体系的に記述し、満たすべき要件を定義することが重要となります。

③ユーザーの要求事項に対応した解決策の作成

②で定めた要件に対して、解決策を導き出します。

④ユーザー要求事項に対する設計の評価

③で導き出した成果物（プロトタイプなど）を評価し、ユーザーの要求を満たしているかを評価します。要求を満たしていると判断されれば生産に移行します。満たしていない場合、要求事項の見直しが必要なのか、設計解が適切でなかったのか、状況に応じて練り直します。

図表2　人間中心設計の一連の流れ

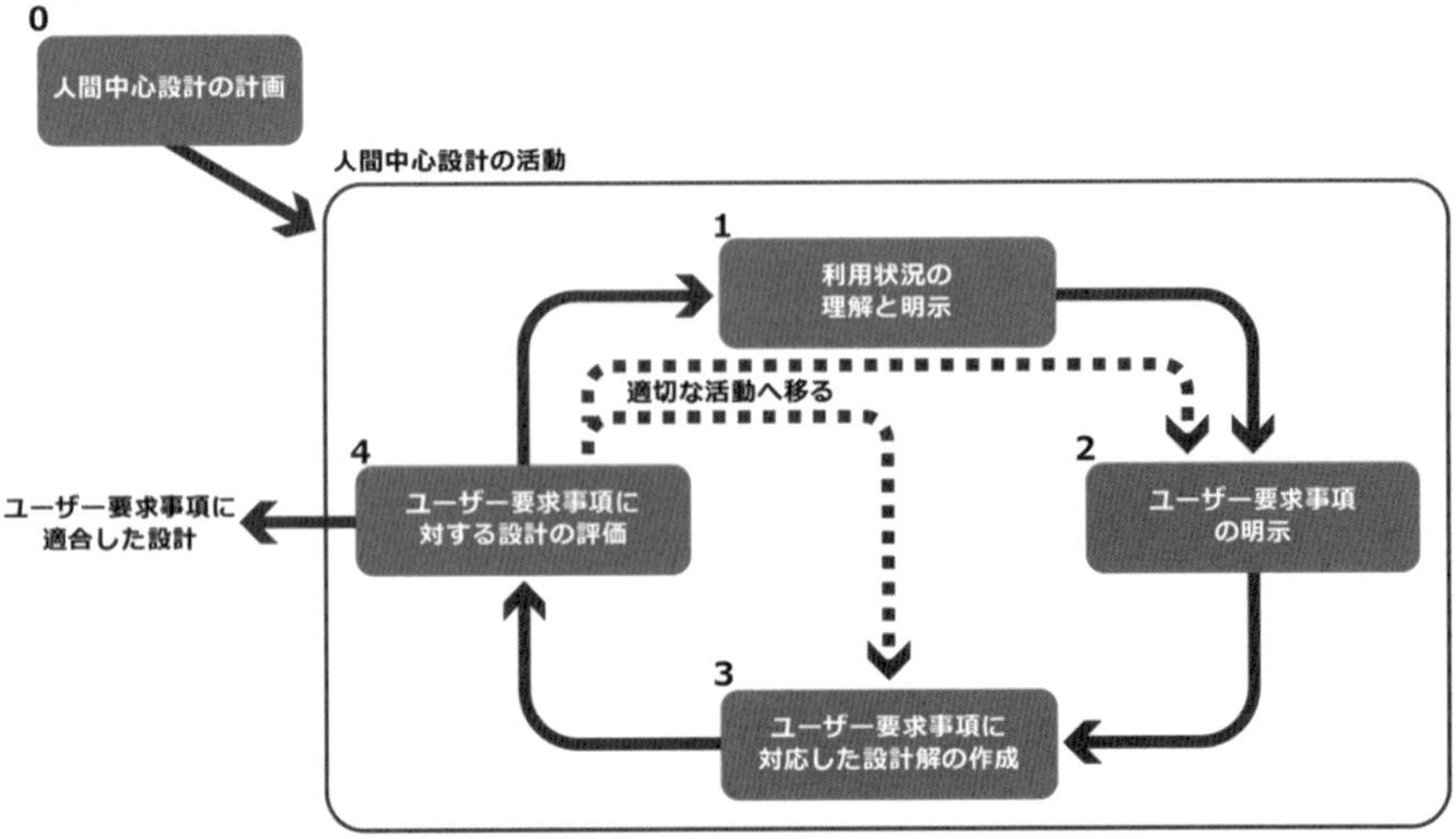

0
人間中心設計の計画
人間中心設計の活動
1
利用状況の理解と明示
適切な活動へ移る
2
ユーザー要求事項の明示
3
ユーザー要求事項に対応した設計解の作成
4
ユーザー要求事項に対する設計の評価
ユーザー要求事項に適合した設計

（JIS Z 8530:2021 より著者作成）

使いやすさを評価する

近年、スマートフォンアプリ、Ｗｅｂサービスなどソフト商品が急激に増えています。売ったら終わりの、これまでのハード商品とは異なり、販売後も機能追加や改善など、アップデートすることができます。それらソフト商品の増加に伴い、使用目的が達成できる「有効性」、使用目的を効率的に達成できる「効率性」、使用感や心地よさの「満足度」が重視されるようになりました。国際規格ＩＳＯや国内規格ＪＩＳでも定められるほどに、使いやすさ、すなわちユーザビリティが重要な位置づけとなったのです。ユーザビリティの改善が叫ばれるようになりましたが、ではどうすればユーザビリティは良くなるのでしょうか？

ユーザビリティの改善に向けて様々な評価手法が生み出され、ユーザビリティ研究の第一人者でもあるヤコブ・ニールセン博士[※1]によって「ヤコブ・ニールセンのユーザビリティ10原則」が１９９０年代に提唱されました。商品開発の時間・予算は限られている中、この指標を用いれば簡易に短期間で商品やサービスを評価できるため、多くの企業で活用されています。私たちが普段よく利用しており、使いやすいと感じる商品やサービスはこの原則がしっかり守られています。

ヤコブ・ニールセンのユーザビリティ10原則

①システム状態の可視性（Visibility of system status）

※1　ヤコブ・ニールセン
ユーザーインターフェイスを迅速かつ安価に改善するための「ディスカウント ユーザビリティ エンジニアリング」運動を確立し、ヒューリスティック評価を含む様々なユーザビリティ手法を発明した。

操作をしたら操作したことがわかるようなフィードバックが適切なタイミングで与えられること。

②システムと現実世界の一致（Match between system and the real world）
ユーザーの認知度が低い専門用語は使わず、わかりやすく誤解のない文章で書く。

③ユーザーの主導権と自由（User control and freedom）
何か誤った操作をしてもはっきりとわかる「非常出口」として「キャンセル」などができることが望ましい。

④一貫性と標準（Consistency and standards）
画面レイアウトの表現、操作方法、用語等に一貫性があること。

⑤エラー防止（Error prevention）
優れたエラーメッセージを表示させるよりも、エラーを防ぐことが大事。

⑥思い出すのではなく認識する（Recognition rather than recall）
操作に関する情報をユーザーは記憶していなくても操作ができること。

⑦利用の柔軟性と効率性（Flexibility and efficiency of use）
経験の浅いユーザーと経験豊富なユーザー共に対応できるように、熟練者の操作が高速化するショートカットを設ける。

⑧美的で最小限のデザイン（Aesthetic and minimalist design）
ユーザーに提示する情報は最低限にし、滅多に使用しない情報は示さない。

⑨ユーザーによるエラーの認識・診断・回復のサポート（Help users recognize,

diagnose, and recover from errors)

エラーメッセージはわかりやすい言葉で正確に状態を伝え、解決するための情報を提供する。

⑩ヘルプとドキュメント（Help and documentation）

ヘルプやドキュメント、マニュアル類がなくても使えることが望ましい。

データだけでは説明できない調査の限界

ここまで調査や評価の大切さをお伝えしてきましたが、結果が常に正しいわけではないという事例をご紹介したいと思います。自動車を普及させたフォード社創設者ヘンリー・フォード氏の有名な言葉に「もし顧客に、彼らの望むものを聞いていたら、彼らは『もっと速い馬が欲しい』と答えていただろう」というものがあります。交通手段が馬車であった時代に、顧客に欲しいものを聞いても自動車の断片的な機能を答えることはあっても、「自動車を作ってくれ」とは答えることはなかったでしょう。

ここで重要なのは、「速い馬」に対する本質的なニーズは「速く移動したい」であることを導き出さなければなりません。顧客の声は正しくもある一方で、そのまま受け取ってはならないこともあるのです。ニーズの本質を見極めることが重要であり、そのニーズに対し、どうアプローチするのかは作り手に委ねられているのです。

故意であろうとなかろうと誤ったデータは会社を誤った方向へ導いてしまうだけではなく、顧客からの信用を失います。そのため、正しく調査できているのか、何か結果を歪めてしまう要素がないのか常に確認をしなければなりません。しかしながら、昨今データが悪用されている事例が報告されています。それは私たちがよく目にする「№1」という表記です。

本当に人気？ №1の幻想

ホームページなどに№1と表示されていると、「いいものなのか」と感じますし、購入する際の一つの指標となるでしょう。ただ、その調査の仕方に問題があることがあります。実際に商品やサービスを利用したことがない人も回答している「イメージ調査」というものです。本来の調査は、実際使用した人を対象とし、商品・サービスの評価や、他社商品と比較してどうだったのかなど調査します。イメージ調査は「調査した結果、№1だった」ではなく、「№1をとるために調査をする」という目的と結果が逆転しており、№1を獲得できるように操作した調査を実施しているのです。実態は正しくなくても、№1と表示されることは優良誤認を招いてしまいます。このように正しいとはいえない調査も世の中には存在するのです。

対極の結果を出してしまう調査の落とし穴

国によって臓器提供同意率には大きな差があります。[※2] 同意率がドイツは12・0%であるのに対し、フランスは99・91%と大きな差が生じています。なぜ同じことを聞いているにもかかわらず、対極の結果が得られるのでしょうか? その理由は、臓器提供について意思表明をする際の初期値（デフォルト）の違いです。臓器提供意思表示には、「オプトイン」と「オプトアウト」という2つの方式があります。米国、ドイツ、日本などが採用するオプトイン方式は臓器提供をしたい場合に意思表示をする方式です。フランス、オーストリア、ポーランドなどが採用するオプトアウト方式は臓器提供をしたくない場合に意思表示をする方式です。臓器提供をするか否かは個人の意思によって決められますが、選択を変更することは負荷がかかることでもあり、私たちは初期値と異なる選択をしようとはしません。

このように、聞き方によって全く異なる結果が得られてしまうことからも、調査方法や内容は検討を重ねなければなりません。

※2
［参考］ Johnson EJ, et al. Do Defaults Save Lives? Science. 2003；302：1338-9.［PMID：14631022］

より一層求められるデータ活用能力

ものづくりにはデータは欠かせない一方で、取扱いには注意が必要であることをお伝えしてきました。調査や評価は不明瞭であるものを数値化し、様々な分野の専門家たちを一つに束ね､同じ方向を向いて開発することができます。一方で、誤れば会社を誤った方向に導くのみならず、顧客の信用も失い、顧客へ損害を与えてしまう危険性も孕んでいるのです。

企業はよりよい商品やサービスを生み出すことを目指してはいるものの、データの取扱いは各社苦心しており、人材が不足している会社も多いのではないでしょうか。政府は「数理・データサイエンス・ＡＩ」の基礎などの必要な力を全ての国民が育み、あらゆる分野で活躍する環境を構築することを目指し、「ＡＩ戦略」を推進しています。今後より多くの分野でデータを活用できる人材が増えることで、新たな商品・サービス開発につながり私たちの生活の課題解決に寄与することを願っています。

コラム
Column
2

華やかなデータ分析の裏側
〜バッドデータとの奮闘

名古屋市立大学データサイエンス学部　准教授　山本 祐輔

本書を読まれた方は、ビッグデータ分析の世界がとても華やかなものに思われたかもしれません。しかし、実際のビッグデータ分析は極めて泥臭いものです。機械学習や数理モデリングなどの「花形」分析技術を使うのは、データ分析プロセスの中でもほんの一部。データ分析の大半は、収集したデータの「前処理」に費やされます。

では、なぜデータの前処理に時間がかかるのでしょうか？　よくある原因のひとつは、分析のために用意したデータが「バッドデータだったから」です。バッドデータとは、コンピュータで分析するときに邪魔になるデータの俗称です。例えば、

- フォーマットや単位が異なるデータが混じっている（図表1a）
- 空値は想定されていないにもかかわらず、空欄になっているデータがある（図表1b）
- ひとつのマスに複数のデータが入っている（図表1c）

といったものが挙げられます。このようなデータが混ざっていると、データ分析中にエラーやおかしな結果が出たりして、有意義なデータ分析が行えなくなります。とはいえ、バッドデータも質を改善できれば、ビッグデータとして活かせる可能性はあります。ですので、分析者は投げ出したい気持ちを押さえながら、時間を割いてバッドデータをキレイにするのです。

ところで、人間には使いやすくても、コンピュータには扱いづらいデータも存在します。その例が、図表2のようなExcelを方眼紙のように使って作られたデータです。この種のデータを大量に分析する場合、分析者の苦労がまたひとつ増えることになります。なぜなら、どのマス目が何を意味しているのか、人間が逐一定義しなければ、コンピュータはデータの意味を理解できないからです。コンピュータは人間のように空気を読んでデータを見てくれないのです。

ビッグデータ分析は「21世紀で最も素敵な仕事」と言われることもありますが、実はかなり地味な側面も持ちあわせているのです。

図表1　ある小売りチェーン店の購買データ

(b) 空データがある

購入者	購入日	店舗	品目
山の畑 滝子	2023年6月3日		野菜
川澄 桜	2023年6月7日	B	調味料
田辺 通	2023年8月6日	C	ジュース, 酒
	⋮		
北 千種	令和6年2月14日	D	お菓子

(c) 2つデータが入っている
(a) フォーマットが和暦

図表2　あるチェーン店の購買集計データ

	A	B	C	D	E	F	G
1	全店舗の売り上げデータ						
2				2022年度		2023年度	
3	店						
4	X	合計		3000		4500	
5		生鮮食品		1500		2250	
6		お菓子		800		1200	
7		飲み物		700		1050	
8							
9	Y	合計		2400			
10		生鮮食品		700		1050	
11		お菓子		800		1200	
12		飲み物		900		1350	
13							

データサイエンスが拓（ひら）く宇宙天気研究

データサイエンス学部　教授　能勢　正仁

みなさんは「宇宙天気」という言葉を聞いたことがありますか？　宇宙というと、太陽や惑星がある以外は大部分が真空で何もないところ、というイメージなので、そんなところに晴とか雨とか、お天気の現象が起こるのか、と疑問に思うかもしれません。

宇宙天気ってなに？

実は、宇宙は完全な真空ではなく、プラスやマイナスの電気を帯びた粒子（イオンと電子）が集まってできたプラズマという物質で充ちています。日常に目にする太陽は光や熱を穏やかに地球に届けてくれる天体ですが、プラズマを四方八方にばらまいている荒ぶる天体という側面も持っています。このばらまかれたプラズマは地球まで届き、その速さは平均して３５０km／sですが、１０００km／s（１秒間で名古屋―北海道間を進む速さ）以上に達することもあります。このような太陽からやってくる速いプラズマの流れは「太陽風」と呼ばれています(図表1)。

太陽風の影響で、地球の周りの宇宙空間には様々なことが起こることは容易に予想できるでしょう。具体例として、プラズマ中の一部の粒子が非常に高速で動きはじめたり、プラズマ全体が急に熱くなったり、プラズマの量が増えて濃くなったり減って薄くなったり、ということが実際に宇宙では起きています。これを地上の空気で例えると、それぞれ、台所のやかんの口から水蒸気が急に噴き出すようなことや、気温が上昇して暑くなることや、地上の濃い空気と山の上の薄い空気が入れ替わったりすることに対応します。

宇宙で起きているこういったプラズマの変化を、天気になぞらえて宇宙天気と呼んでいます。アラスカや北欧でよく見られるオーロラ(図表2)は、宇宙天気の様子を地上に居ながらにして目で見られるものの一つです。(オーロラは美しいですが、その時の地球周辺の宇宙空間では激しい暴風雨のような状態になっています。)

宇宙天気の影響

宇宙の天気がどうであろうと、私たちの普段の生活には関係ないと思うかもしれません。しかし、現代社会は、宇宙の利用なしには成り立ちませ

図表1

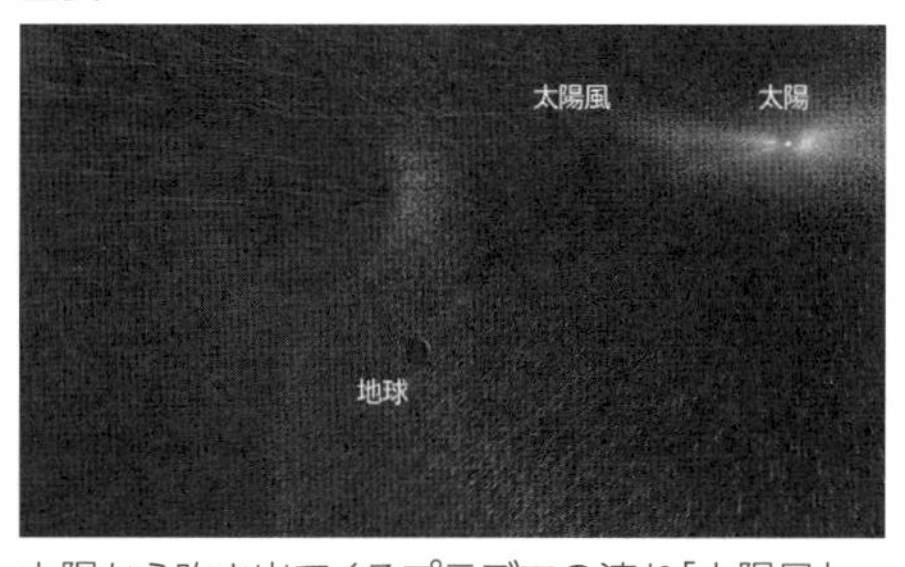

太陽から吹き出てくるプラズマの流れ「太陽風」をイメージ化したもの
(Credits: NASA Goddard's Conceptual Image Lab/Greg Shirah)

図表2

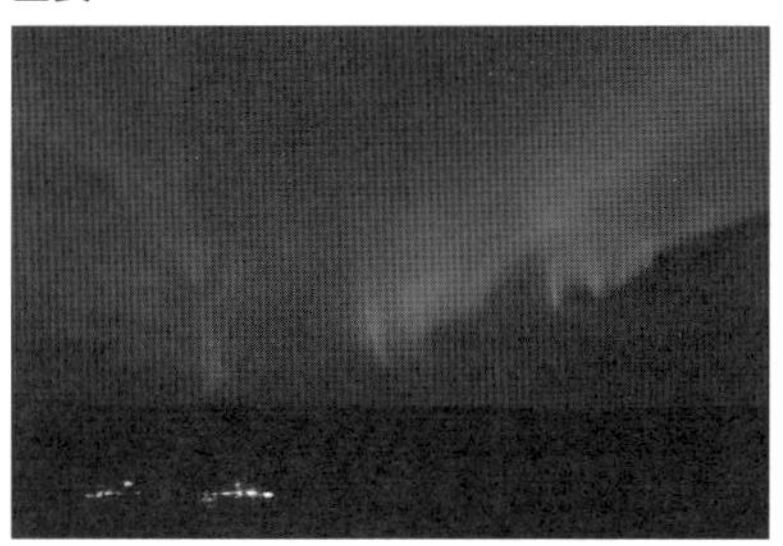

2022年3月5日にアラスカ・ポーラーフラットに現れたカーテン状オーロラ(著者撮影)

ん。カーナビやスマートフォンで自分の位置や時刻を知ることができるのは、地球の上空約2万㎞を飛んでいるＧＰＳ衛星からの信号を受けているからですし、ＢＳやＣＳが見られるのは、地球の上空約3・6万㎞を飛んでいる放送衛星が電波を発信していて、広い範囲に放送を届けているためです。また、気象衛星ひまわりも放送衛星と同じ高さにあって、日本付近の雲の様子を撮影し続けており、日々の天気の様子を知るのに役立っています。

宇宙天気が急変して、プラズマ中の一部の粒子が非常に高速で動くとしましょう。こうした高速の粒子は、人工衛星の表面に貼り付いたり、時には内部にまで透過したりして、電子回路基板や配線に電気を蓄積することがあります。蓄積された電気は、冬場の静電気でバチっと感じるのと同じように放電の原因となり、衛星障害の危険性が高まります（図表3）。

加えて、こうした粒子は、宇宙空間で活動する宇宙飛行士の体を突き抜け、被曝をもたらします。特に眼球を突き抜けるときは、暗いところで目をつぶっていても光を感じるそうで、これをライトフラッシュ現象（図表4）といい、地球に戻ってから白内障を患う可能性が高くなるそうです。宇宙飛行士だけではなく、高いところで仕事に就く飛行機のパイロットや客室乗務員にも、長年にわたる被曝の効果が蓄積されます。

図表3

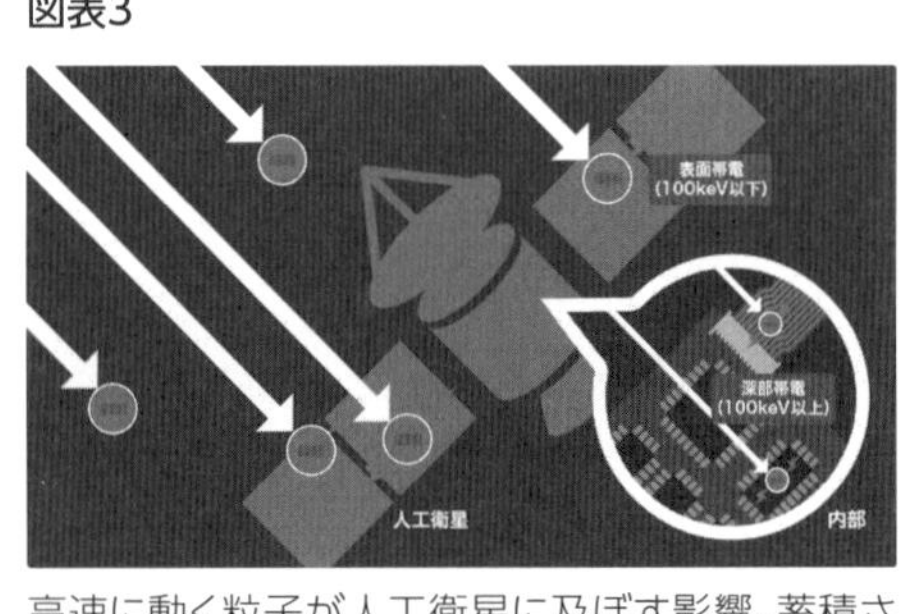

高速に動く粒子が人工衛星に及ぼす影響。蓄積された電気が放電し、衛星の故障・障害が起こりうる

［情報通信研究機構のホームページ（https://radi.nict.go.jp/）より］

図表4

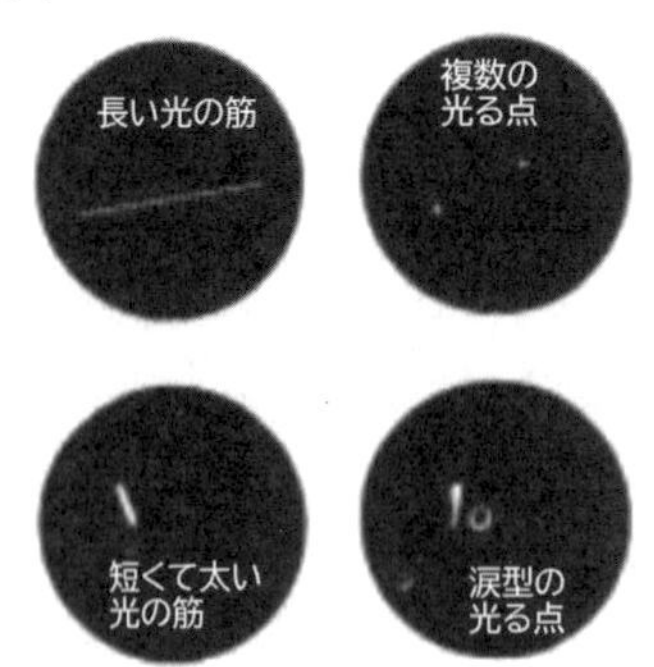

アポロやスカイラブ計画で宇宙飛行士が経験したライトフラッシュ現象

（Budingerらの1976年に発表されたレポートより）

宇宙天気変化の別の例として、プラズマ全体が急に熱くなる場合には、この熱いプラズマが地球の周りを動き始め、宇宙空間に大電流が流れるようになります（電気を帯びた粒子が動くので電流が生じます）。大電流の発生に伴って、地上の電力網には許容量を超えた電流が誘起されることがあり、このために変圧器や送電施設の故障が起こりえます。過去の有名な例では、1989年3月にカナダ・ケベック州で起きた大規模な停電があります（図表5）。この時には、約9時間にわたって停電が続き、600万人もの人が寒い夜を過ごさざるを得なくなりました。

そのため、宇宙のプラズマがどのような状態なのか、そしてその状態は人工衛星や宇宙飛行士、パイロット、客室乗務員らに悪影響を及ぼさないか、送電網に異常をもたらさないかを知っておくことは、安心・安全な社会生活を維持するうえで大切なことと言えます。

ちょっと宇宙へ出かける前に　宇宙天気を気にする時代に!?

この数年で、宇宙旅行が身近になってきました。宇宙の定義は、国際宇宙航行連盟によって100㎞（カーマンライン）以上、または米国空軍によって80・5㎞以上とされていて、現在はこれらが広く用いられています。アメリカのブルーオリジン社やバージンギャラクティック社は、この高度を少し超えたところまで到達する宇宙船を使った民間宇宙旅行を販売しており、45万ドルを払えば誰でも宇宙に行くことができる時代です。日本も参加している米国・NASAのアルテ

図表5

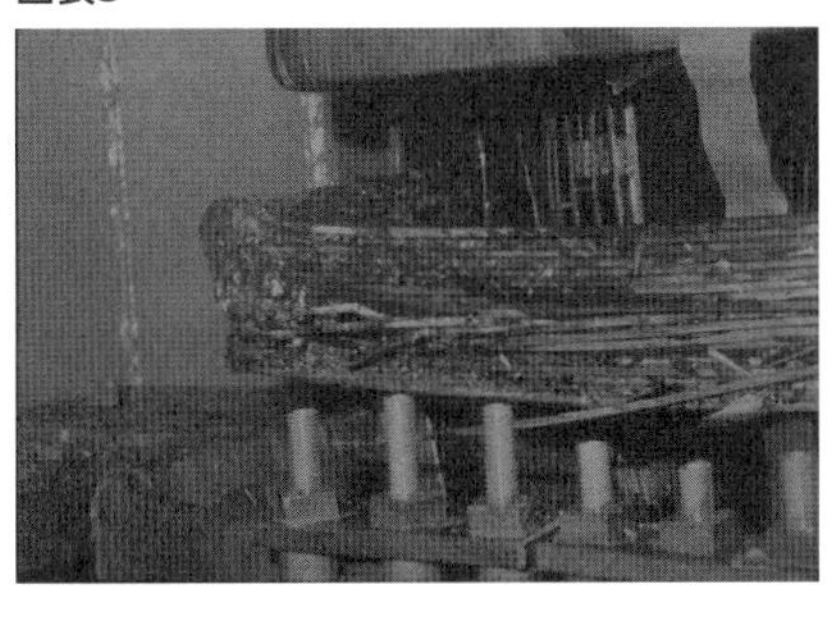

1989年3月13日の激しい宇宙天気により焼き切れた変圧器
(Courtesy: John Kappenman)

ミス計画では、有人月面着陸や月の周りを回るゲートウェイ宇宙ステーションの建設が予定されていて、近い将来には、宇宙旅行が当たり前になり、月での生活も普通のこととなってくるでしょう。

現在、国内旅行や海外旅行の際に、現地の雨の状況や気温、そこに行くまでの鉄道や航空機が雪などで遅れていないかを心配して、天気の現状や予報を確かめるように、こうした近未来では、宇宙天気の現状や予報を確かめることが常識になっているはずです。（ほんの10年前までは、民間宇宙旅行なんて夢のような話でしたから、この先10年間にどんなことが起こるか楽しみですね。）

こうしたことから、宇宙天気の重要性はますます高まってきています。実際に宇宙天気の状況や予報を発信している機関は全世界で23か所あり、国際宇宙環境サービスの運営とともに、各言語や各国特有のサービスが行われています。日本では、情報通信研究機構が宇宙天気の現況や予報をホームページ（図表6）から発信することに加え、宇宙天気情報を実利用するユーザー向けにメール配信サービスも提供しています。

図表6

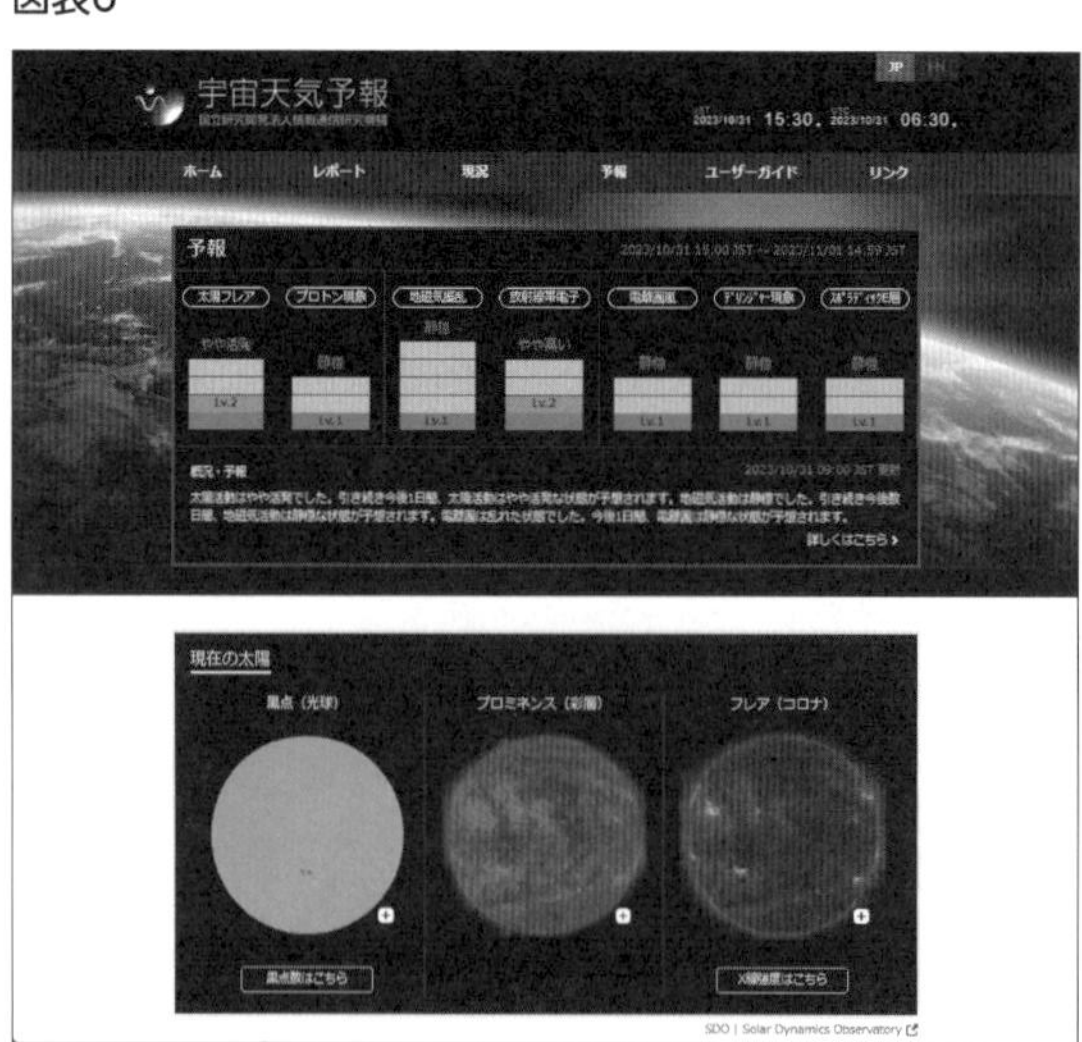

情報通信研究機構の宇宙天気予報ページ

(https://swc.nict.go.jp/)

データサイエンスが宇宙天気研究に果たす役割

情報通信機器やセンサーデバイスの進化、データ保管容量の増大などにより、生成・蓄積されるデジタルデータの量は加速度的に増加しています。こうした膨大なデジタルデータに対して、統計数学、情報科学、機械学習などの分析手法と、専門分野の知識を横断的に組み合わせて、新たな科学的および社会に有益な知見を引き出そうとする学問が、データサイエンスです。

宇宙天気の研究分野においても、太陽面観測データ、太陽風データ、地球周辺の宇宙におけるプラズマデータなどが、多くの科学人工衛星で取得されるようになり、本格的に宇宙空間での観測が始まった１９６０年代とは比べ物にならないほどの大量のデータが生み出されています。

一例をご紹介しましょう。図表7は、ＮＡＳＡが一般に公開している太陽風データの一部を示したもので、２０２３年1月1日の0時0分から0時15分までの15分間のものです。数字の羅列は、年月日や時刻、太陽風の様々な特性を表しています。たった15分で、これほど多くのデータが生み出されることに驚かれるのではないでしょうか。四角で囲んで拡大している部分は、太陽風の速度と温度のデータです。この数字をみると、２０２３年1月1日の始まりには、太陽風の速度は５６７・５km／sで、温度は6万２９０９度であった、ということが分かります。この太陽風データは１９６３年からずっと蓄積され続けていて、これまでの60年

図表7

年月日時分																					太陽風の速度 (km/s)					太陽風の温度 (度)				
2023	1	0	0	51	51	14	2	14	3274	374	0.17	999999	5.64	-3.98	3.10	-0.94	3.24	-0.15	0.03	2.25	567.5	-566.2	26.7	27.2	2.27	62909.	1.46	999.99	0.57	7.6
2023	1	0	1	51	51	10	3	30	3530	474	0.22	-196	5.63	-3.35	3.42	0.50	3.19	1.33	0.03	2.78	[illegible]	-584.0	-7.7	-21.9	2.41	[illegible]	1.65	-0.78	0.78	8.1
2023	1	0	2	51	51	16	5	69	3225	446	0.20	365	5.64	-3.04	4.09	-0.02	3.97	0.99	0.03	2.34	582.7	-581.3	-1.1	-17.3	2.06	[illegible]	1.40	-0.58	0.58	7.4
2023	1	0	3	51	51	7	5	57	3597	533	0.23	-311	5.61	-3.86	2.79	0.91	2.48	1.57	0.02	2.72	585.8	-584.7	-4.7	-2.2	2.40	112992.	1.65	-0.92	0.77	8.1
2023	1	0	4	51	51	12	3	50	3620	562	0.27	36	5.61	-3.85	3.38	1.56	2.88	2.34	0.02	[illegible]	576.7	-575.1	-11.4	-41.4	[illegible]	79013.	1.39	-1.35	0.57	7.4
2023	1	0	5	51	51	20	4	100	2848	127	0.21	832	5.62	-2.22	4.67	0.57	4.39	1.70	0.02	[illegible]	594.0	-592.0	-15.9	-43.1	[illegible]	118703.	1.65	-1.01	0.76	8.1
2023	1	0	6	51	51	1	3	100	3797	0	0.00	-888	5.59	-4.46	1.49	-3.00	2.18	-2.54	0.00	0.00	592.0	-589.7	-15.0	-45.6	[illegible]	126350.	1.72	1.50	0.83	8.3
2023	1	0	7	51	51	5	2	80	2536	604	0.70	1320	5.63	-2.76	4.11	-1.55	4.36	-0.50	0.03	2.11	598.3	-597.0	-24.4	-24.5	2.16	99734.	1.55	0.30	0.65	7.8
2023	1	0	8	51	51	5	2	80	2178	299	0.17	418	5.65	-3.58	3.32	-2.73	3.89	-1.83	[illegible]	0.54	590.6	-589.9	-23.1	[illegible]	2.34	108865.	1.63	1.08	0.72	8.0
2023	1	0	9	51	99	4	999	100	2834	742	0.68	-595	5.65	-3.31	3.25	-2.15	3.68	-1.29	[illegible]	2.38	99999.9	99999.9	99999.9	[illegible]	999.99	9999999.	99.99	999.99	999.99	999.9
2023	1	0	10	51	51	3	1	33	3266	1088	0.51	-372	5.63	-3.87	3.27	-1.21	3.47	-0.37	[illegible]	1.76	566.4	-565.6	2.5	[illegible]	1.91	59120.	1.28	0.21	0.47	7.0
2023	1	0	11	51	51	6	2	83	3332	894	0.65	-5	5.64	-3.48	3.29	-1.00	3.43	[illegible]	[illegible]	2.66	566.6	-565.8	2.3	[illegible]	1.92	59982.	1.23	0.10	0.47	7.0
2023	1	0	12	51	51	9	1	100	3180	799	0.57	211	5.65	-3.53	3.69	0.42	3.48	[illegible]	[illegible]	2.21	588.5	-587.0	[illegible]	[illegible]	2.94	169432.	2.04	-0.77	1.14	8.9
2023	1	0	13	51	51	9	2	100	3389	815	0.61	-148	5.65	-3.81	3.02	-0.77	3.12	[illegible]	[illegible]	2.70	579.7	-576.7	[illegible]	[illegible]	2.52	113938.	1.69	0.01	0.80	8.1
2023	1	0	14	51	51	11	2	73	3379	862	0.49	69	5.63	-3.38	3.01	-0.12	2.95	[illegible]	[illegible]	3.28	574.8	-571.0	[illegible]	[illegible]	2.29	82297.	1.51	-0.36	0.63	7.7
2023	1	0	15	51	51	10	1	70	3262	834	0.46	176	5.64	-2.88	3.57	-0.30	3.54	0.58	0.03	3.20	604.4	-600.9	-18.3	-62.1	2.01	85305.	1.47	-0.35	0.56	7.6

2023年1月1日の最初の15分間の太陽風データ(一部)

(NASA OMNIWebより取得)

間でデータの総数はおよそ4億5000万個にも達しています。

機械学習や人工知能の技術を使えば、このような膨大な観測データから有用な情報を引きだして、宇宙天気について新しい発見が得られると期待されています。また、これまでの専門知識と新たに得られた情報を組み合わせて予測モデルを作ることで、未来の宇宙天気をより正確に予測することも可能になります。データサイエンスの新技術は、データ解析の効率を大幅に向上させ、予測精度の改善に貢献しています。

データサイエンスを使った最新の宇宙天気研究

ここでは、データサイエンスの新技術を使った宇宙天気研究の例を2つ紹介します。

◎例1　オーロラ発生警告システム

日本で緑色に光るカーテン状のオーロラを直接目にすることはありませんが、日本に居ながらにして、極地方でオーロラが出ているかどうかを知る方法があります。それは、宇宙天気の状態が激しくなった時に現れる電磁波動を見つけ出すことです。この電磁波動は大変弱いので、電車や工場から出る人工ノイズが少ない場所で、磁力計と呼ばれる特殊な計測装置を使って観測します。図表8の上段に並べたグラフは、愛知県豊田市の山中でこの電磁波動（2～3回振動した後、すぐになくなってしまう波動）を観測した時のものです。

　こうした電磁波動が現れているグラフを約３０００枚使い、図表８の下段にあるような畳み込みニューラルネットワークモデルで、波動が起こっているかどうかを判定する深層学習プログラムが製作されています。このプログラムを使えば、大量に蓄積された観測データから簡単に素早く電磁波動を探し出すことができます。さらには、リアルタイムで計測したデータに対して、このプログラムを適用すれば、24時間３６５日、電磁波動の発生を監視し続けることができ、オーロラ発生（=宇宙天気の暴風雨）警告システムへの実現につながります。

◎例２　太陽フレアの発生予報
　太陽表面では、時として、黒点から爆発的にプラズマが放出される「太陽フレア」と呼ばれる現象が起こります。この時、太陽風の速度は急激に増加し、地球の周りの宇宙天気を大きく乱します。そのため、太陽フレアがいつ起こるのかを知ることが宇宙天気予報には重要です。

　こうしたことから、太陽フレアが起こる前に黒点がどのような特徴を示すのかに注目して、約30万枚の観測画像データ

図表8

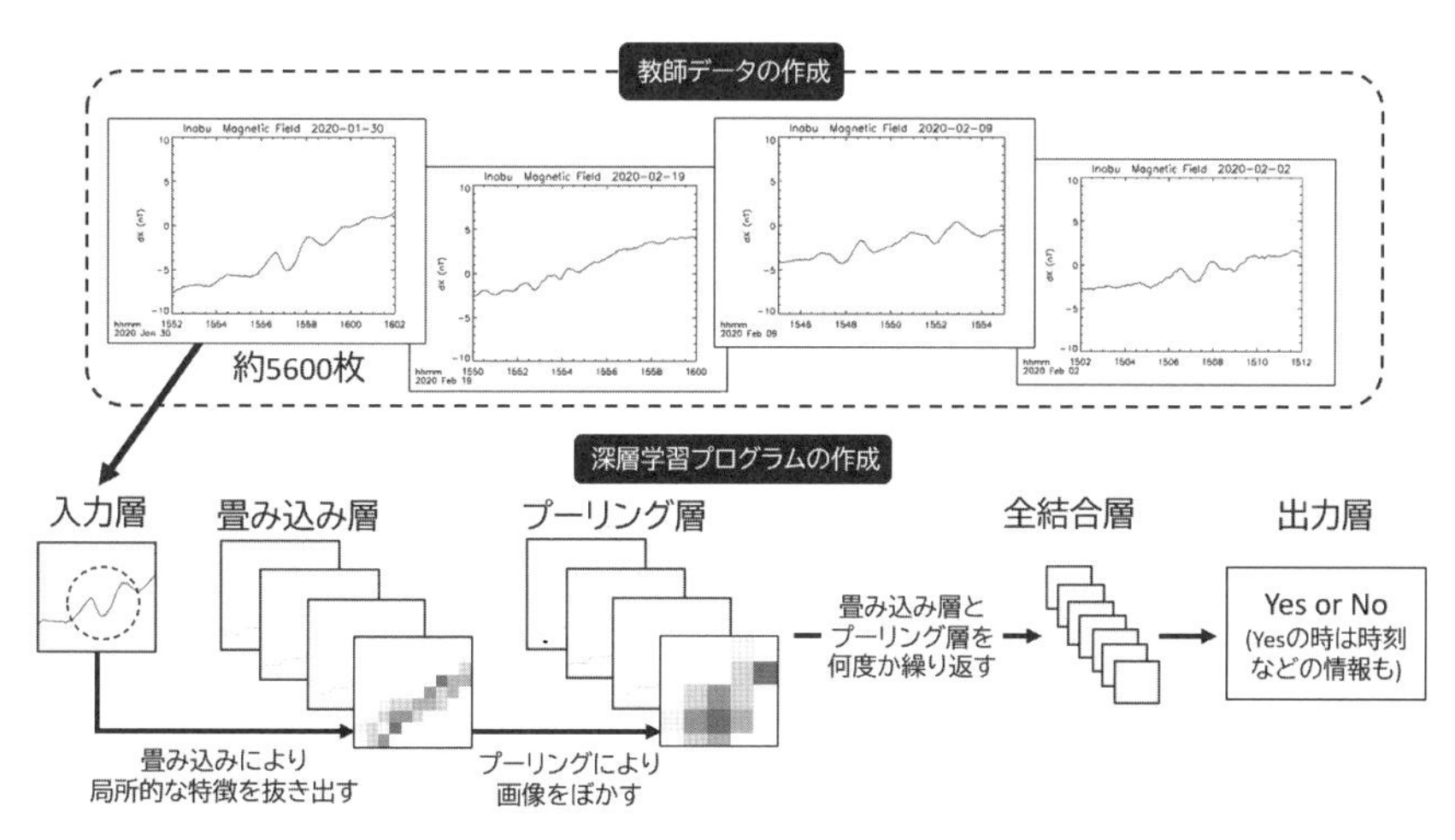

宇宙天気の状態が激しくなった時に現れる電磁波動のグラフとそれを見つけ出す機械学習プログラムの作成

ベースに基づいた深層学習による太陽フレア予測モデルが開発されました（図表9）。このモデルによる予測は、従来の人手による精度である約5割を大きく上回り、約8割の精度を実現しています。ホームページでは、黒点ごとに、規模別の太陽フレアの発生しやすさ（確率予報）や、リアルタイムで予報結果が公開されています。

おわりに

地球周辺の宇宙は、GPS衛星、放送衛星、気象衛星など現代の社会生活を支える多くの人工衛星が飛んでおり、国際宇宙ステーションには宇宙飛行士が滞在するなど、人類が積極的に利用・活動する場所になっています。身近なところでは、この数年の間に民間宇宙旅行が実現されていて、多くの人が普通に宇宙を旅するような時代がすぐそこまでやってきています。そして、さらなる将来には、人類は月や火星に進出しようとしています。

したがって、宇宙の環境が今どのような状態なのか（宇宙天気現況）、またどのように変わっていくか（宇宙天気予報）といった情報は今後ますます大切になってきます。これまでに、宇宙天気研究が世界中で精力的に進められてきましたが、現在は数十年前とは桁違いに大量の観測データが得られるようになり、それらを効率的に

図表9

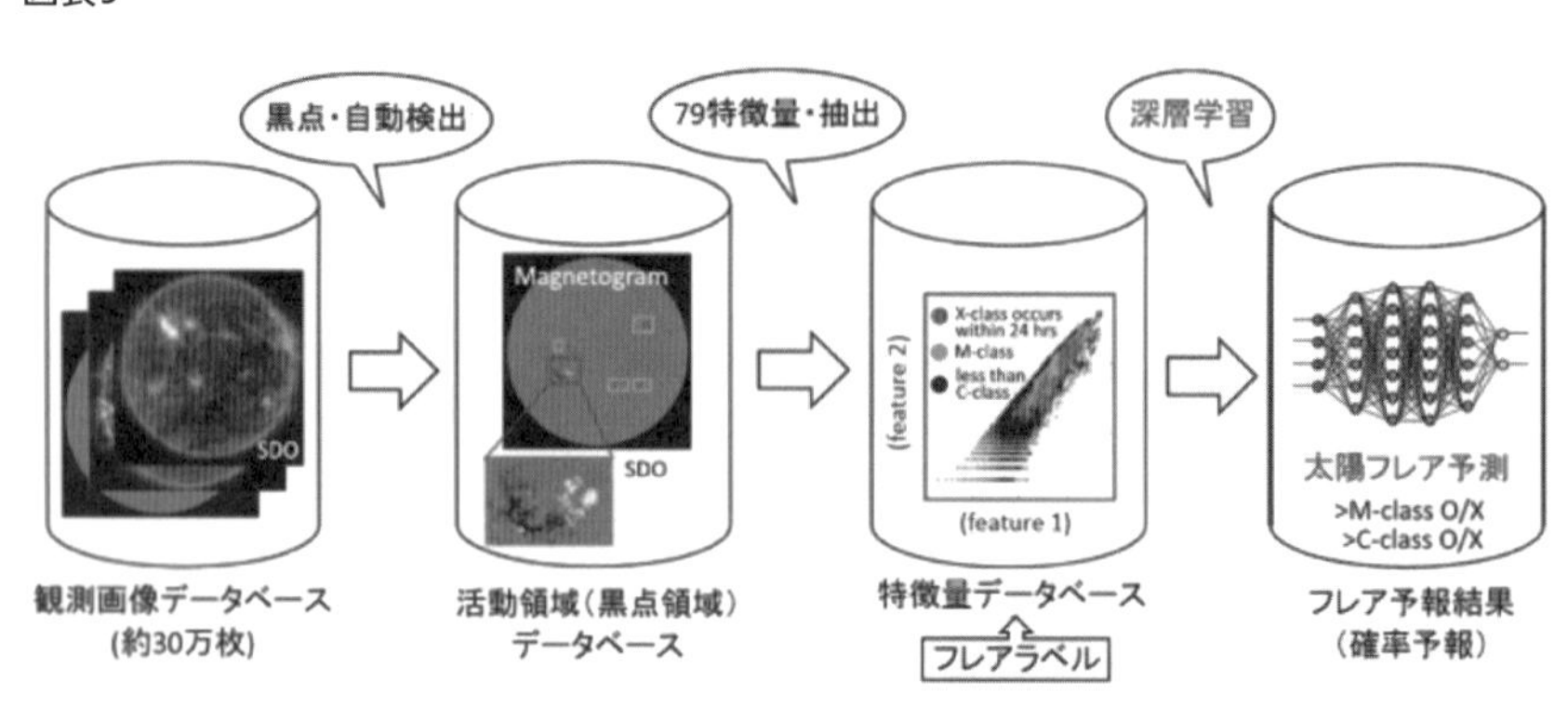

宇宙天気を大きく乱す原因である太陽フレアの発生を機械学習で予測する。
予測結果は、Deep Flare Net (https://defn.nict.go.jp/)で公開されている。

［西塚らの論文（ApJ, 2018;宇宙航空研究開発機構特別資料, 2020）より］

解析したり、その情報を元に将来予測の精度を高めたりできるデータサイエンスの手法が駆使されるようになりました。宇宙天気研究は、持続可能な人類社会の構築に必要不可欠なもので、そこにデータサイエンスが果たす役割は大きくなってきています。

気候変動と農業のサイエンス

データサイエンス学部　教授　辰己賢一

データサイエンスが農業を変える日が近いかもしれません。日本の農業は高齢化と人手不足が深刻な問題ですが、データサイエンスの力でいろいろな課題が解決できるかもしれません。

ここでは、世界が直面している気候変動や人口増加の問題に焦点を当て、データサイエンスがどのように農業を助けることができるのかを考えてみましょう。

増え続ける世界人口

世界の人口がとても速いペースで増えています。２０２３年の時点で、国連の推計によると、約78億人が地球上に住んでいます（図表1）。そして、この数字はこれからもどんどん大きくなって、２０８０年代中に約１０４億人でピークに達し、２１００年まで

図表1　世界人口の将来予測

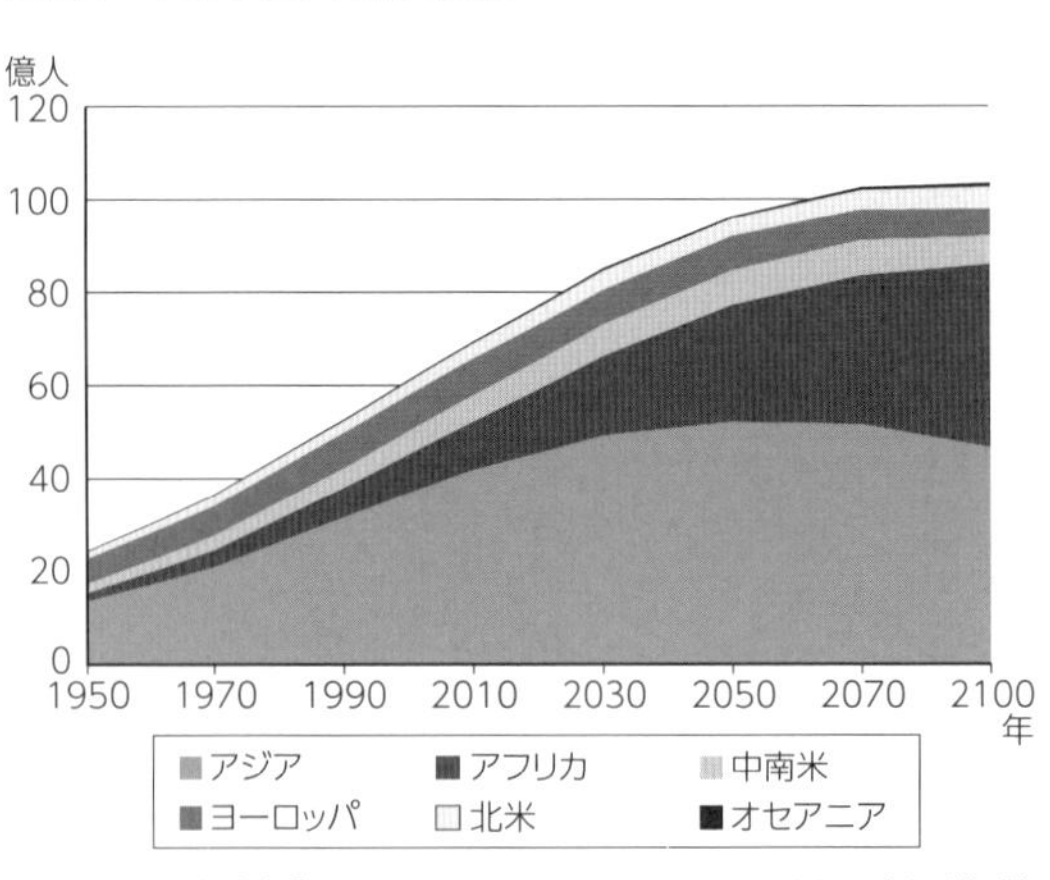

（国際連合「World Population Prospects 2022」より作成）

そのレベルに留まると予測されています。人口が特に急増しているのは、アフリカのサハラ砂漠よりも南側です。このエリアでは、2050年までに人口が今の2倍になると見込まれています。一方、日本を含む多くの先進国では、少子高齢化などの影響で人口が減っています。

人口が増えると、食べ物や水、家、学校などが足りなくなる問題が起こります。さらに、気候変動、お金の問題、食べ物の供給の問題、生き物の種類が減る、資源がなくなる、貧しい人が増えるなど、多方面で悪影響が懸念されています。

気候変動と世界中で起こる大災害の頻発化

私たちの日常生活で出る二酸化炭素などのガスが、地球をどんどん温めています。この温暖化は、世界各地で水の流れや気温のバランスを変えてしまっています。たとえば、雨や雪が降るパターンが変わって、水資源の不安定化が加速しています。

2022年には、ヨーロッパで500年に一度とも言われるひどい干ばつがあり（図表2）、多くの場所で河川の水位が低下するなどして水が足りなくなりました。暑い日が続くと、作物がうまく育たず、食べ物の問題も起きてしまいます。2023年には、ヨーロッパやアフリカで記録的な暑さが報告されました。カナダやアメリカでは、大きな山火事が起こり、たくさんの森林がなくなりました。世界では2022年までの3年間で、東京都の約40倍に相当する面積の森林が山

図表2　深刻化する干ばつ

（資料：「Pikbest」）

火事により消失しました。

２０２２年、パキスタンでは大洪水で、多くの場所が水につかり、人々が亡くなり、食べ物が足りなくなりました。アメリカのカリフォルニアでは、２０２２年7月下旬から8月上旬にかけて「１０００年に1度の大洪水」が発生し、普段は乾燥している地域にもたくさんの雨が降りました。そして２０２４年には、カリフォルニアでまた大雨が降り、洪水や土砂災害が起こりました。こうした極端な天気は、世界中どこでも起こっていて、私たちの生活に大きな影響を与えています。

気候変動について研究している世界の専門家たちは、地球が温かくなっている主な原因は、私たち人間の活動によるものであると述べています。特に、工場や車から出るガス（二酸化炭素など）が地球の気温を上げています。

専門家たちが考える未来では、もし私たちがガスを出し続ける量を減らさないと、２０５０年までにはガスの排出量は今の2倍になってしまい、その結果、２１００年には地球の気温が最大で6℃も上がるかもしれません（図表3）。これは、今以上に暑い日が多くなったり、大雨や干ばつがひどくなったりす

図表3　700～2100年までの気温変動

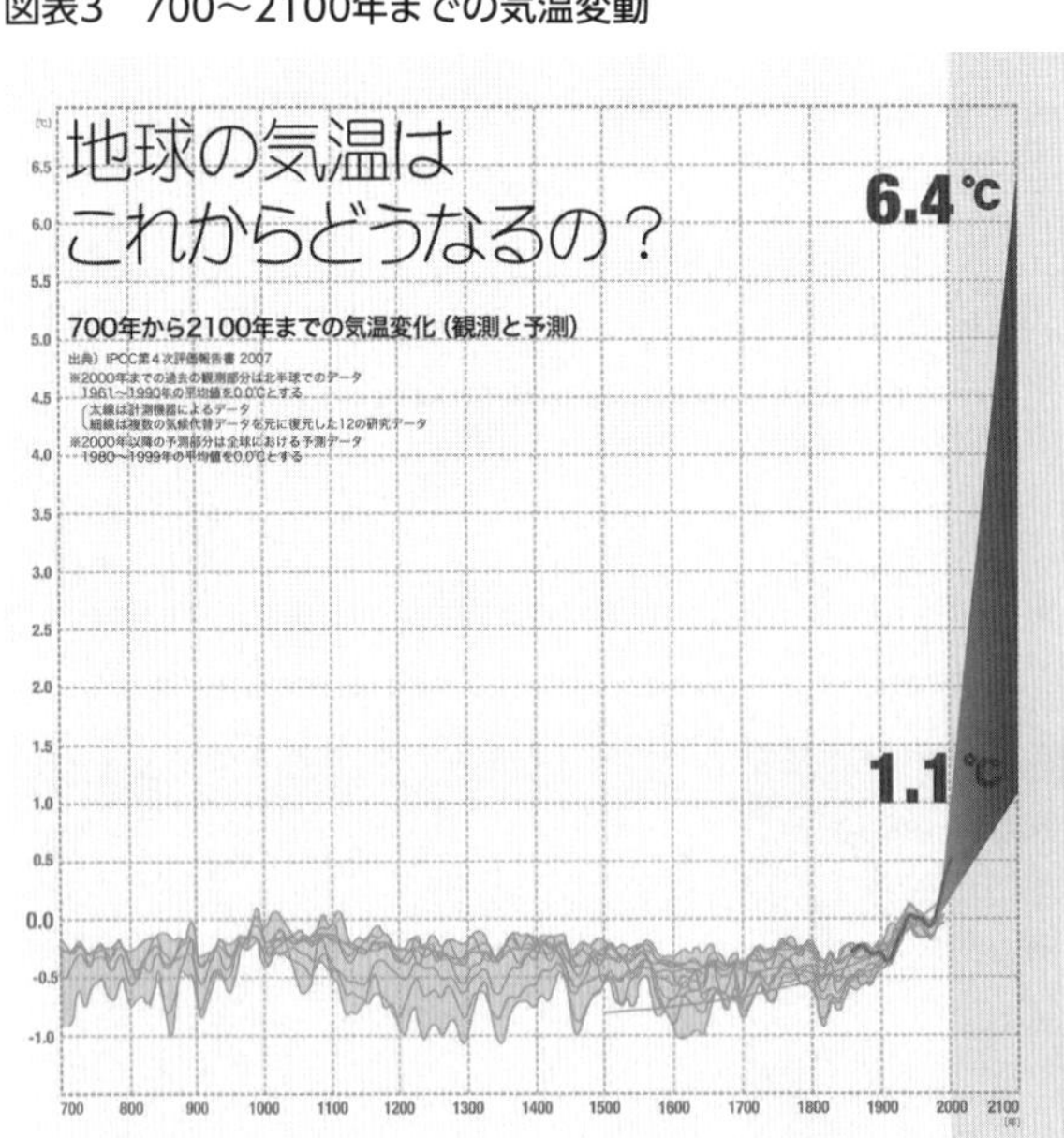

［出典:IPCC第四次評価報告書／
全国地球温暖化防止活動推進センターウェブサイト（https://www.jccca.org/）より］

ることを意味しています。

このような変化は、ただ天気が悪くなるというだけでなく、農業やビジネスにも大きな影響を与えます。たとえば、食べ物を作るのが難しくなったり、電気やガソリンの使い方を考えないといけなくなったりします。また、動物や植物の生活にも悪影響を与えるため、気候変動は、地球上で生きるすべての動植物にとっての大きな問題になっています。

人口増加が飢餓問題に与える影響

世界では、多くの人々が飢餓に直面しています。飢餓とは、健康を維持するために必要な最低限の食事すら摂取できていない状態を指します。国連の報告によると、２０２１年時点で世界人口の約10％、つまり8億２８００万人が飢餓の状況にあります。この問題は、特に発展途上国で深刻で、人口が増えることでさらに悪化する恐れがあります。

飢餓の原因はさまざまです。天気が悪くて作物が育たない年があったり、食べ物を保存する技術が足りなかったり、食べ物の価格が急に上がったりすることなどがあります。また、戦争や政治的な不安定さ、経済的な問題も、人々が十分に食べられない一因となっています。飢餓の問題を解決するためには、国際社会が一致協力する必要があります。

世界は深刻な食料危機に直面しています。国連食糧農業機関（ＦＡＯ）の予測によると、2050年までに、世界の食料需要が2010年の時点から1・7倍に増え、約58億トンに達する見込みです。特に、収入の低い国々では食料の必要量が2・7倍に跳ね上がると予想されており、中所得国でも1・6倍に増える見込みです。このような人口増加に伴う食料需要の急増に応えるためには、穀物生産量を現在の1・7倍に増やさなければならず、それは約21億トンから35億トンへの増量を意味します。

食料生産を増やすためには、既存の農地での収穫量を増やすか、新たな農地を開発する必要があります。しかし、新しい農地を開発することは、土壌の侵食や塩害、砂漠化、森林の減少など、環境への悪影響が大きいため、可能な限り既存の農地での生産性を高めることが望まれます。飢餓のない世界を目指すには、農業技術の革新や持続可能な農法の推進が極めて重要となります。

気候変動の農業への影響

気候変動は、地球の平均気温が上がる、天気が極端になる、雨の降り方が変わるなど、さまざまな形で現れています。これらの変化は、農業に大きな影響を与え、作物の生育条件を大きく変えてしまうことがあります。例えば、気温が上がることで、作物が早く育ち過ぎたり、熱でストレスを受けたりします。また、病気や害虫が増えることも心配されています。雨の降り方が変わったり、突然の大雨や乾燥が起きたりすると、作物がうまく育たなかったり、水の使える量が不安定になったりします。その結果、種をまく時期や収穫する時期を変更する必要がでてきます。また、収穫量の減少、作物の品質低下、農薬の使用量増加、栽培地の変更などが必要になってきます。

気候変動は、食べ物の価格が不安定になったり、食料の安全が危険にさらされたりする原因にもなります。これに適応していくためには、持続可能な農業への移行、品種の改良、水やりの方法を向上させること、農業の方針を見直すことなど、いくつかの方法が考えられます。

データサイエンスが切り開く未来の農業

データサイエンスは気候変動と農業への影響を理解し、対応策を考えるための大きな役割を果たしています。具体的には、以下のような方法で応用されています。

まず、気候モデルを使って、地球の気候がどのように変わるかを予測します。これは、自然や人間の活動が将来の気候にどう影響するかを理解するためのものです。そして、作物生長モデルを利用して、気候変動が農作物の成長や適した栽培地域にどのように影響するかを評価します。作物生長モデルには、過去の気象データと収穫量の関係を分析する統計モデルと、作物の成長過程と気象要素との関係を詳細にモデル化するプロセスモデルなどがあります。

さらに、近年ではＩｏＴを活用したセンサーからのデータ収集、ドローンや衛星画像を使った土壌や作物の状態分析、適切な肥料の施用量や灌漑のタイミング、収穫時期の決定など、農業活動を効率化するための技術が発展しています。これらを活かして、気候変動への適応策を開発し、作物の耐性を強化する新しい品種選定や栽培技術の改善に取り組むことができます。結果として、農業生産者はより効率的な栽培計画を立てることが可能になり、食料安全保障と農業の持続可能性向上に寄与します。

農業分野でのデータサイエンスの応用は急速に広がっており、精密農業の実現、作物収量の予測、病害虫管理、土壌及び水資源の最適利用といった様々な領域での革新を促進しています。農業におけるビッグデータの収集、分析、および活用は、農業の持続的な発展を支える核となる技術です。しかしながら、農業分野でのデータサイエンスの適用には、依然として多くの課題が存在します。

例えば、研究者や農業従事者が必要なデータに簡単にアクセスし、それを活用できるような仕組みの構築が挙げられます。この課題への対応として、農林水産省や民間企業が協力して、農業データの共有や活用を推進するためのプラットフォーム、農業データ連携基盤（ＷＡＧＲＩ）の整備が進められています。ＷＡＧＲＩは、農業関連のデータを一元的に管理し、共有することで、農業の効率化や生産性向上に貢献することを目指しています（図表４）。このプラットフォームを通じて、農業分野でのデータサイエンス技術のさらなる応用が期待されています。

データサイエンスは、気候変動への対応および農業の持続可能性を高めるための重要なツールとして位置づけられています。農業ビッグデータの分析、気候モデリング、機械学習を用いた生産量予測など、データサイエンスは農業が直面する多岐にわたる課題の解決に貢献しています。このような技術を活用することで、農業は気候変動の影響を乗り越え、持続可能な生産手法を実現する方法を模索することができます。

農業データを深く理解し、高精度の分析を行うためには、単一の学問分野だけではなく、気象学、土壌学、作物学、情報工学、農業経済学など、多様な学問領域からの知識と技術が不可欠です。このような分野横断的なアプローチは、農業研究における新しい発見や効果的な解決策を見つけ出す上で、ますます重要性を増しています。データサイエンスを応用した農業は、農作業の効率化、作物生産性の向上、農業データの価値創出、および農業分野のデジタル化を加速させる鍵になります。農業はスマートかつ持続可能な未来へと向かってますます進化していくでしょう。

図表4　農業データ連携基盤WAGRIの構造

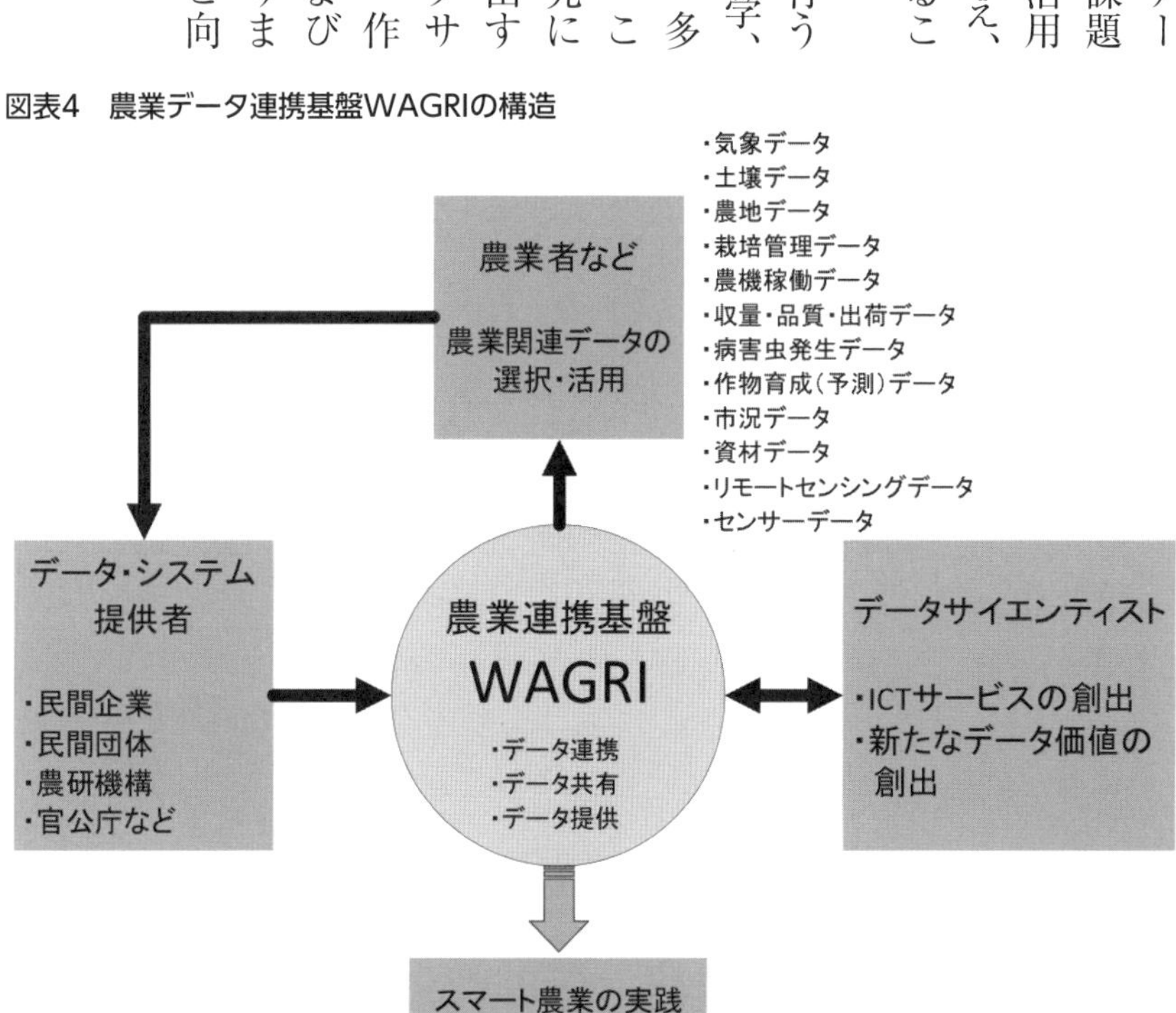

（資料：「WAGRIの活用メリット」https://wagri.naro.go.jp/about_wagri/merit/をベースに作成）

データサイエンスとデザインのお話

芸術工学研究科産業イノベーションデザイン領域　教授
中川 志信

あなたは買ったものに満足していますか。例えば服のサイズ。S・M・Lという既製のサイズがピッタリ合わずに着こなしていませんか。

これからは、あなたの体のデータを測って、あなたの体の特徴に合わせてデザインされた服がつくられます。しかも安価で。そんな夢のような話が、現実になろうとしています。この章では、データサイエンスを活用したデザインについて解説していきます。

データ中心のものづくりへ

20世紀は石油の時代、21世紀はデータの時代と言われています。メジャーリーグの大谷翔平選手も、自らのバッティングフォームをデータから分析して、ホームランを量産しています。コンピューターの進化により多量の多種多様なデータが、比較的容易に取得できるようになったためです。

これまで、デザインにおけるデータはデザイナーが自ら現場に足を運んで現物を目で見て取得し、そこから必要な情報に整理して、ユーザーの潜在ニーズなどを抽出してきました。今後もこの基本プロセスは変わらないのですが、データ取得の方法や、得られたデータを本質を突いた情報に解析する方法に加え、その最適な情報を実装して出力する新たなモノやサービスまでもが、コンピューターとＡＩの進化により拡張しています。

例えば、乳幼児あやしロボットで説明しましょう。従来であれば、複数の限られた母親の乳幼児のあやし方を調査して、最大公約数的な最も良いと思われるやり方を選択し、そのあやし方を実装できるロボットをデザイン開発しました。ただこれでは、乳幼児ごとに最適化されていないため完璧にあやすことはできません。

しかし、何百万人という母親の乳幼児のあやし方のデータを取り、さらに医療的に最適なあやし方の基本データを加えれば、最大公約数的な最も良いと思えるあやし方の精度は高まります。これがデータサイエンスを活用したものづくりです。ロボットへ実装する時も、あやし方の基本データに、それぞれの乳幼児の母親の特性データを加えるため、その乳幼児は母親に抱かれている感覚より心地よく感じるので、ぐっすり眠れます。

このようにデータサイエンスを活用して乳幼児あやしロボットをつくるためには、より簡便に計測されている感覚のないデータを取る装置や、服のサイズＳ・Ｍ・Ｌのように大雑把でなく、もっと微細な実装に対応できる機器の技術革新が求められます。日本のものづくりは、これらかゆいところに手が届くことを得意とするため、これからが大変楽しみです。

名市大には、わたしが所属する芸術工学部に加え、医学部やデータサイエンス学部など全8学部があります。これらの学部が連携することで、多くの人を幸せにする、データ中心のものづくりが加速していくことが期待されます。

匠の技のデータ化で技術革新

大学教員になってロボットのデザイン研究を行いました。最初に研究開発したロボットに「こころ」を感じました。企業で多くの製品をデザイン開発してきましたが、「こころ」を感じたのは初めての体験でした。

従来の製品と異なり、そのロボットでは人とのやり取り（音や動き）を双方向に何度も行いました。そのやり取りに、意図的に感情表現を多く入れたことで、人はロボットに「こころ」があるかのように錯覚したのです。

この研究の際はロボットの動きがあまりにも機械的だったので、文楽の人形遣いが文楽人形を操って生き生き感じさせるコツやノウハウを調べました。モーションキャプチャ装置を用いて、文楽人形の動きのデータを取りました。取得した動作データは、概ね美しい文楽人形の動きを再現していました。しかし時折、変な格好をします。他の動作データも調べると、全てにおいて時折、変な格好をして同じ傾向にあることがわかりました。

そこで文楽人形の服をはいだ状態で、文楽人形遣いに演じてもらいました。すると、文楽人形の服の下には脚と胴体はなく、腕もなくて手先と肩を紐でつなぐ、伸縮自在で多様な動きの表現ができる内部構造でした。時折の変な格好とは、首、手先、胴体の伸縮や胸が曲がるなどの動きだったのです。これらの構造を、ロボットに採用して、文楽人形と同じタイミングの動きをさせると、文楽人形と同じ生き生きした印象を創造することができました。

つまり人形遣いのコツやノウハウという暗黙知の情報を、操る文楽人形の動きから取得したデータを解析することで発見し、ロボットの技術革新（イノベーション）につなげることができたのです。この暗黙知の情報をつかむことを、「データサイエンスする」と呼び換えてみましょう。わたしはこれこそが、デザインの本質であると考えています。

みんなに買ってもらえるデザインとは？

たくさんの人に買ってもらえるデザインをつくるのは、本当に難しいと思います。わたしも何百機種のモノのデザインをしましたが、大ヒットしたのは数機種です。

わたしは野球をしていたので、プロ野球選手が3割打つことは、想像以上に難しいことをデザインの体験からも感じます。野球も勝つ時には時の運があります。デザインも同じで、時期が少し早過ぎてデザインの斬新さを受け入れられなかったことや、社会情勢や景気の変化のタイミングで売れなかったことが多くありました。

わたしは企業に入社して、意匠部に配属されました。意匠とは、色や形をつくることです。つまり、モノの造形やスタイリングが主な職能でした。技術系の社員に、お化粧屋さんと言われたのを今でも覚えています。しかし突然景気が悪くなり、デザインするテーマがなくなりました。そのためデザインにとどまらず、自らモノを企画して、設計までするようになりました。今では社会をデザインすることや経営をデザインするなど、デザインの意味は幅広くなりましたが、当時は大変戸惑いながら進めました。

英語のＤＥＳＩＧＮには、意匠、企画、設計の意味が含まれています。特に欧州では、建築家がデザインも行います。ここでは、ポール・ヘニングセンによる照明デザイン（図表１）のプロセスを紹介します。

電球が発明されて人々の暮らしは豊かになりました。しかし、その電球のまぶしさに気付く人が少なかった時代に、それを改善すべき問題として感じたのがポール・ヘニングセンでした。

ヘニングセンは電球に手をかざしました。すると光が手のひらを透過し、また反射して拡散します。これなら電球のまぶしさはなくなり、かつ明るさは同じに保てる。このアイデアを深め、設計図にし、最後に色や形を整えて照明デザインは完成したのです。

ここで大事なのは、誰もが気付かなかった問題点を発見したことです。これを

図表1　ポール・ヘニングセンのペンダント照明

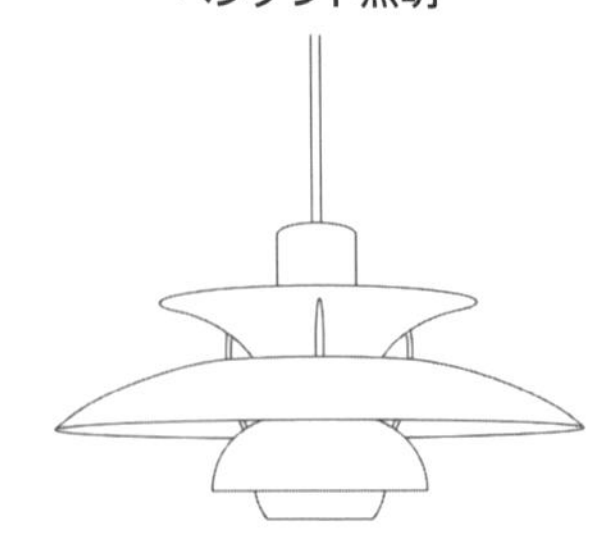

わたしは潜在ニーズと呼びます。無意識に心の中で思っているのですが、言葉にならない問題点や欲求を意味します。

DESIGNを野菜づくりに例えてみましょう。丹精込めて良い土から育てた野菜は、色ツヤや形もよく美味しそうに育ちます。デザインも同じです。多くの人の潜在ニーズを「データサイエンスする」ことでつかみ、深く考えてアイデアを出し、そのアイデアを具現化する機能や構造から設計することで見事なデザインに育ちます。

デザインとは何かの形を与えるのではなく、自然と形が育っていく（生まれていく）のが本当の良いデザインです。つまり、みんなに買ってもらえるデザインとは、美味しい野菜を育てる行為に近いと考えます。

よいデザインにつながる情報を得るために

次に設計デザインにおける知識と経験の修得について、スツール（背もたれや肘掛けのない小型の椅子）を通して学びましょう。

美しい設計デザインを創造するためには、少ない素材で、座る人の重さにも耐えうる機能美を追求します。構造は四角柱が強く安定しますが、三角錐の方が不安定で緊張感があるため人は美しいと感じます。この三角錐を椅子にするデザインからは、人が座る上からの力を頂点で受け3方向へ分散して安定させる構造が学べます。

柳宗理がデザインしたバタフライチェア（図表2）は、四角錐の本体構造に、座面のクッション性までをも加えた構造が、たった2枚の合板だけで構成されています。この設計デザインには、人の心地よさを、引き算の精緻な構造で創造できる優れた知識と経験が必要です。

さらに企画における知識と経験の修得には、自らをお客様として、ユーザーの深層心理を体で感じ、知ることが重要です。本当に自ら買うレベルまで企画を練り上げることで、市場性が生まれます。市場とはお客様です。同時に生産性です。練り上げた企画が実際のモノやサービスにならなければいけません。製造方法や原価、コスト、利益率などの知識と経験も必要になります。

わたしはこれらの能力に加えて、潜在ニーズを抽出できる、言い換えれば「データサイエンスできる」センスと洞察力が最も必要と考えます。多くの企画が提示されますが、概ねよくあるパターンが多く、心から共感できる企画にはセンスと洞察力が必ず潜んでいます。

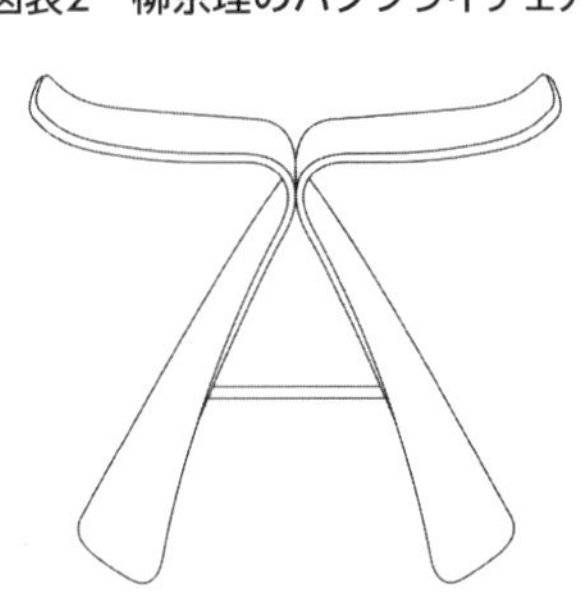

図表2　柳宗理のバタフライチェア

ヒット商品デザインの法則　暗黙知の情報をつかめ

最後に暗黙知の重要な情報をつかむ、すなわち「データサイエンスする」ことで、よいアイデアやデザインが生まれ、ヒット商品につながった事例を紹介します。

わたしは小学生の頃から富士山を登頂する登山愛好家です。多くの日本の山を登り、今では北アルプスの縦走がいちばんの楽しみです。

そんな登山愛好家のわたしが、登山用ヘッドランプ（図表3）のデザイン開発に恵まれました。山の上では5分に1回流れ星が見えるほど暗いことや、登山者はザックの荷物を1gでも軽くしたいこと、ヘッドランプ装着時はこめかみが痛くなることなど、積知識と経験を一つの登山用ヘッドランプに凝縮しました。登山愛好家にしかわからない潜在ニーズ満載の世界最小最軽量（当時）のリチウムヘッドランプは大ヒット商品になりました。

この大ヒット商品は、自らの体験から、ユーザーの潜在ニーズである暗黙知の重要な情報をつかみ、デザインを通して解決したことで生まれました。これが、わたしの中にあるヒット商品のデザインを生み出す法則になりました。

掃除機（図表4）のデザインを担当した時も、ユーザーの潜在ニーズである暗黙知の重要な情報をつかむため、毎日毎朝掃除をして主婦の本音をつかもうとしました。その甲斐あって、主婦は大きな掃除機で掃除するのは週に一度くらいにしたい、しかし毎朝子供が食べ散らかすパン屑は、サッと掃除したいという本音を見つけました。

これをデザインで解決するため、外観はほうきをモチーフに、壁に立てかけてあっても自然な造形にしました。色も、壁に溶け込む白にしました。こちらも大ヒットし、現場で「データサイエンスする」ことの重要性を改めて学びました。

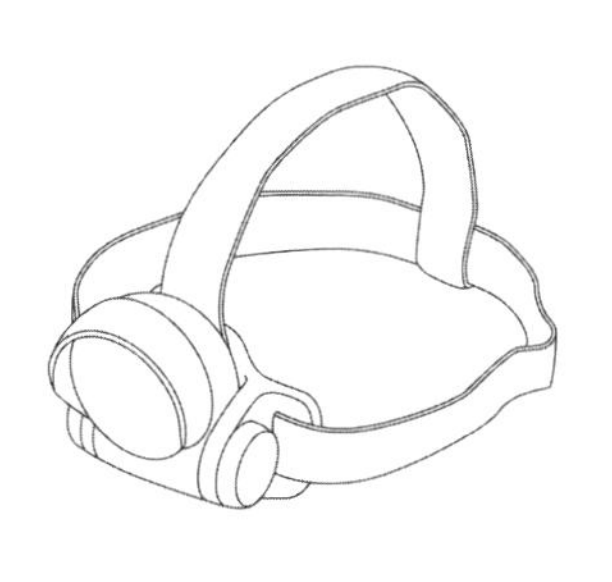
図表3　ヘッドランプ

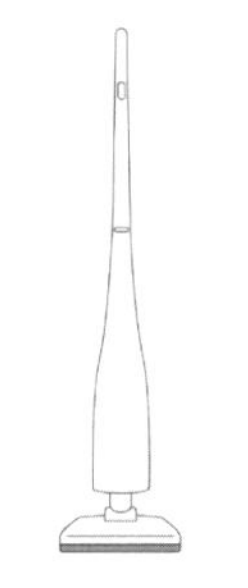
図表4　掃除機

データサイエンスとデザインの未来

デザインで最も大切なことは、潜在ニーズのような暗黙知の重要な情報、本質を突いた情報をつかむことです。それが「データサイエンスする」こと、つまりビッグデータ解析から最適な情報を提供することでした。これらの行為を現状は人間が行なっているので、能力的にも時間的にも情報の取得は限られ、その情報の解析も個々人の洞察力やセンスに制限されます。またデザインは考えながら行動するため、体力勝負の側面がありました。

しかし今後は分身ロボットが、わたしの代わりに行動してデータを収集し、AIが多くの暗黙知の情報をデータサイエンスして、わたしに提供してくれるようになります。AIやロボットを駆使してビッグデータを収集し、「データサイエンスする」ことで、人間が想像し創造する時間が増えるため、デザインはもっと良くなると考えています。

名古屋市立大学 データサイエンス学部の最近の話題から

名古屋市立大学データサイエンス学部　学部長　三澤 哲也

ここまで読んでいただきました読者の皆様には、データサイエンスという学問分野が、“データ”を通じて社会における多種多様な分野と関連していることを改めて感じていただけたと存じます。今回、データサイエンス学部からは7名の教員が本文執筆をいたしましたが、他にも多彩なデータサイエンスのメンバーが在籍しております（例えば、私は統計数学をベースに、投資のリスク分析に関する金融工学を専門にしております）。一度データサイエンス学部ホームページにアクセスいただき（114頁の二次元バーコード参照）、ご関心を持たれる先生方のテーマがございましたら、名市大ブックス編集部までお声をお寄せください。

さて、おかげさまで名市大データサイエンス学部は今年2年目を迎え、データサイエンスの教育・研究・社会貢献活動を本格化させているところでありますが、その中から最近の話題（令和6年6月現在）を2つほどご紹介させていただきます。

1つ目は「学生課外活動プロジェクト」です。これは教員が顧問となるデータサイエンスのクラブ活動とでも言うべきものであり、データに触れる機会の少ない1，2年生を主に対象とする自由参加活動です。正規の科目でないにもかかわらず、昨年度は延べ10テーマに約6割程度の学生が参加してくれました。テーマも多様で、名古屋市や企業との共同プロジェクト、COVID-19のオープンデータからの感染分析、Pythonでゲームを作る、ChatGPTやテキストマイニングソフトの活用、地理情報データ分析など、教員の指導のもと、学生たちは意欲的にテーマに取り組み、中には学会発表レベルの成果を収めたグループもありました。今後さらにデータサイエンスの学びに繋げてもらえることを願っております。

2つ目は、大学院データサイエンス研究科（修士課程）の設置届出が受理されたことです。背景として、社会からのデータサイエンスに関する高度専門人材の要望、特に社会人のリスキリング対応への要望があります。この研究科では社会人の皆さんが学びやすいように昼夜開講制や長期履修制度（業務との両立のため時間をかけて学びたい人のために2年分の授業料で4年間まで学べる制度）を設けております。詳しくは115頁をご覧いただき、私共の大学院への進学についてご一考いただければ幸いに存じます。

執筆者プロフィール（2024年6月時点）

大成 洋二朗　おおなる ようじろう

●データサイエンス学部非常勤講師 ／ 日本電信電話株式会社研究開発マーケティング本部 ／ Salzburg Global Fellow

05年立命館大卒業。05年NTT東日本に入社後、海外トレーニー選考による海外企業勤務を経て、18年より日本電信電話株式会社に転籍後、「サステナブル・スマートシティ・パートナー・プログラム」ディレクターとして従事。23年より同社 研究開発マーケティング本部勤務。名古屋市立大データサイエンス学部非常勤講師、Salzburg Global Fellow、東京大学まちづくり大学院「スマートシティ論」講師などを務める。専門はスマートシティ、公民学連携。Smart City Standards and the Smart City Framework British Standards Institution Training Academy 修了。

鈴木 昌幸　すずき まさゆき

●データサイエンス学部 非常勤講師／岡崎市役所 総合政策部デジタル推進課／GLOCOM客員研究員／総務省地域情報化アドバイザー

00年名古屋大経済学部卒業。同年岡崎市役所に入庁。現場担当課や財政課、企画課等を経て、22年より総合政策部デジタル推進課。23年より名古屋市立大データサイエンス学部非常勤講師。専門は、行政計画策定とこれに基づく課題把握のもと推進するスマートシティ事業・関連データ活用。国土交通省スマートシティ実装化支援事業をはじめモデル事業等の採択多数。令和5年度国土交通省スマートシティ関連ワーキンググループ委員。

井下 豊　いした ゆたか

●前 名古屋市総務局企画部統計課　課長

89年名古屋市役所入庁後、21年総務局付主幹（職員共済事務）などを経て23年総務局企画部統計課長（～24年3月）。この間、計12年にわたって統計事務に従事。

小川 泰弘　おがわ やすひろ

●データサイエンス学部　准教授

00年名古屋大大学院工学研究科情報工学専攻博士課程(後期課程)修了。00年名古屋大大学院工学研究科助手、12年名古屋大情報基盤センター准教授を経て、23年より名古屋市立大データサイエンス学部准教授。専門は、自然言語処理、法情報処理。

原田 峻平　はらだ しゅんぺい

●データサイエンス学部　准教授

14年一橋大大学院商学研究科博士後期課程修了。14年九州産業大商学部講師、16年岐阜大教育学部助教、准教授を経て、23年より名古屋市立大データサイエンス学部准教授。専門は、交通経済学、公益事業論。日本交通学会 学会賞、公益事業学会論文奨励賞を受賞。

間辺 利江　まなべ としえ

●データサイエンス学部　准教授

17年筑波大大学院人間総合科学研究科疾患制御医学専攻博士課程修了。17年より帝京大医学部衛生学公衆衛生学講座を経て、23年より名古屋市立大データサイエンス学部准教授。専門は、感染症疫学、公衆衛生学、臨床疫学研究方法論、国際保健。

横山 清子　よこやま きよこ　●データサイエンス学部　教授

84年名古屋工業大情報工学専攻修士課程修了。84年豊田工業高等専門学校を経て、23年より名古屋市立大データサイエンス学部教授。専門は、情報工学、人間工学。生体情報処理、人の動作分析などの応用研究に従事。

奥田 真也　おくだ しんや　●データサイエンス学部　教授

02年一橋大大学院博士後期課程修了。02年大阪学院大流通科学部講師、准教授、14年名古屋市立大大学院経済学研究科准教授、教授を経て、23年より現職。専門は、会計学。主要論文に"Relationship between top managers' interest in accounting information and accounting practices in startups" International Journal of Accounting Information Systems. 2023（窪田嵩哉氏と共著）がある。

山下 咲衣子　やました さえこ　●アイホン株式会社商品企画部マーケティング企画課

12年名古屋市立大芸術工学部デザイン情報学科卒業、23年同大大学院芸術工学研究科博士後期課程修了。株式会社ニトリを経て、20年よりアイホン株式会社商品企画部マーケティング企画課。専門は、商品企画、人間工学、マーケティング、UXデザイン。

能勢 正仁　のせ まさひと　●データサイエンス学部　教授

98年京都大理学研究科博士課程修了。ジョンズホプキンス大応用物理学研究所、京都大理学研究科地磁気世界資料解析センター、名古屋大宇宙地球環境研究所を経て、23年より名古屋市立大データサイエンス学部教授。専門は、宇宙環境情報学、宇宙空間物理学。

辰己 賢一　たつみ けんいち　●データサイエンス学部　教授

02年京都大大学院工学研究科博士前期課程修了。12年東京農工大助教、16年東京農工大准教授を経て、23年より名古屋市立大データサイエンス学部教授。専門は、農業情報気象学。米国農業工学会最優秀論文賞などを受賞。

中川 志信　なかがわ しのぶ　●芸術工学研究科産業イノベーションデザイン領域 教授

90年武蔵野美術大基礎デザイン学科卒業、16年三重大大学院地域イノベーション学研究科博士後期課程修了。パナソニック社デザイン部などを経て、23年より名古屋市立大芸術工学研究科産業イノベーションデザイン領域 教授。専門は、UXデザイン、ロボティクスデザイン、先端インダストリアルデザイン。

名古屋市立大学
データサイエンス学部

公式HP
▼

データサイエンスは、統計学やAIなどの情報工学を横断的に活用し、社会の様々な分野に存在する多様で膨大なデータから有益かつ新たな知見を引き出すことを通じて、各分野における課題にアプローチする、いわゆる分野横断型の学問です。

名古屋市立大学では、データサイエンスの教育研究拠点を目指し、令和5年4月に8番目の学部としてデータサイエンス学部を開設しました。その知識と技術にもとづいて社会と地域における諸課題の解決に取り組み、社会の発展に貢献できる実践的な能力を有する人材を養成することを目的としています。

データサイエンス学部の特色

〈カリキュラム〉

多種多様なデータを収集・分析・活用するために必要な基礎科目の履修とともに、データ活用の実践的能力や世の中の多様な社会的課題を解決する力を習得するために、年次進行に合わせた演習科目を設定しています。

〈履修モデル〉

将来目指す進路に対して履修を推奨する科目群を示しています。

履修モデルはコースや学科とは異なり、モデルを横断して履修することもできます。

IT系：より高度なAIやデータ分析の専門性を活かして、システムやソフト開発や新規事業開発の指針を定める高度情報技術者としての活躍を期待できます。

ビジネス系：ビジネス分野の基礎的な知識と関連データの活用に関する専門性を活かして、企業経営分析とマネジメント、金融市場分析、商品・サービスのニーズ分析、公共政策立案など、データに強いビジネス実務家としての活躍を期待できます。

医療系：社会医療情報や医療統計、レギュラトリーサイエンス分野の専門性を活かして、公衆衛生分野、病院などにおける医療情報分野、製薬業など、医療分野におけるデータサイエンティストとしての活躍が期待できます。

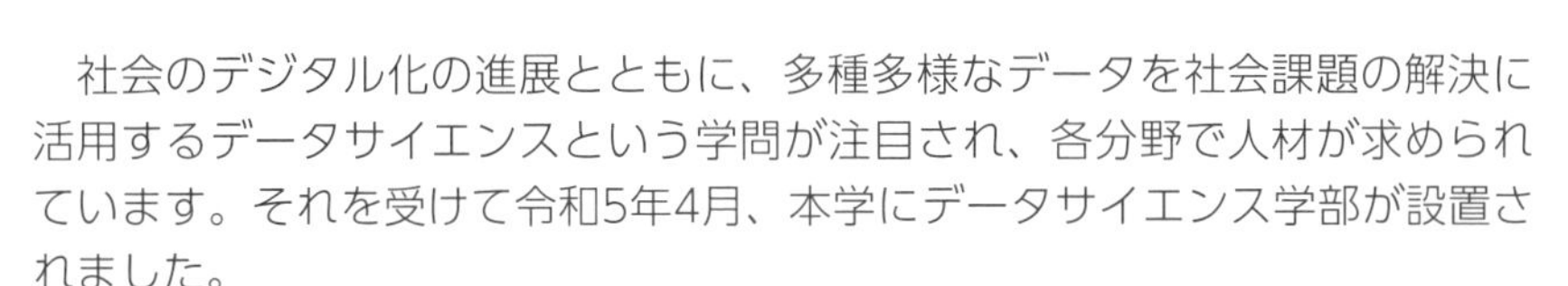

名古屋市立大学大学院
データサイエンス研究科

社会のデジタル化の進展とともに、多種多様なデータを社会課題の解決に活用するデータサイエンスという学問が注目され、各分野で人材が求められています。それを受けて令和5年4月、本学にデータサイエンス学部が設置されました。

令和7年4月設置のデータサイエンス研究科データサイエンス専攻修士課程は、こうした背景のもと、データサイエンスのより高度な専門技術と実践力を有する人材の養成を教育研究上の目的としています。

〈養成する人材像〉

- データの収集・管理・分析・考察のために必要となる研究リテラシーや統計学分野と情報工学分野の高度な知識を有した人材
- その知識を活用して社会課題やそれに内容される実務課題の解決方法を提案・実施できる実践能力を身につけた人材

〈学びの特徴〉

①データ活用分野を広範に展開

- 統計学分野、AI等の情報工学分野に加え、気候と農業、宇宙天気、情報検索やテキストマイニング、医療データシミュレーションや健康科学、公共政策や会計、投資工学などの幅広いデータ活用分野を設定

②データサイエンス実践力の修得を考慮した教育

- 修士論文研究指導と併せて、実務的な課題解決へのデータサイエンス活用を体験する演習科目や実務家特別講義を配置

③社会人の受け入れにも対応

- 昼夜開講制で社会人大学院生も2年間で修了可能
- 業務との両立のために時間をかけて学びたい方は、2年分の学費で最大4年在籍することができる「長期履修制度」も活用可能

公式HP ▶ 

1884年に開校した名古屋薬学校と1943年に開校した名古屋市立女子高等医学専門学校を源流とし、1950年に名古屋女子医科大学と名古屋薬科大学を統合して、医学部（旧制）と薬学部（新制）の2学部からなる公立大学として設立されました。

その後、地域社会の要請に応えて学術的貢献領域を拡充しつつ、経済学部、人文社会学部、芸術工学部、看護学部、総合生命理学部を開設。2023年４月には本学8番目の学部となるデータサイエンス学部を新設し、都市型総合大学として発展を続けています。地域に開かれ広く市民と連携・協働し、学部の壁を越え教職員が一体となって、優れた人材の育成、先端的研究の世界への発信、市民の健康福祉などの社会貢献に寄与しています。「知と創造の拠点」となるべく、それぞれの分野で、知性と教養に溢れ、創造力に富んだ次世代を担う有為な人材を輩出し続けています。

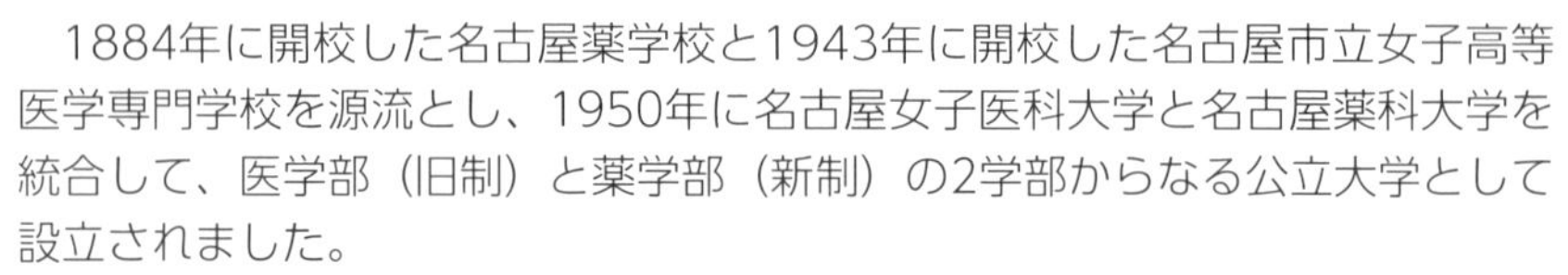

■学部学生…4,264名(男:1,891名、女:2,373名)　■大学院生…820名
■専任教員…813名(教授212名、准教授179名、講師128名、助教288名、助手6名)
※2024年5月1日現在

桜山（川澄）キャンパス

▶医学部／看護学部
〒467-8601 名古屋市瑞穂区瑞穂町字川澄1

滝子（山の畑）キャンパス

▶経済学部／人文社会学部／総合生命理学部／データサイエンス学部
〒467-8501 名古屋市瑞穂区瑞穂町字山の畑1

田辺通キャンパス

▶薬学部
〒467-8603 名古屋市瑞穂区田辺通3-1

北千種キャンパス

▶芸術工学部
〒464-0083 名古屋市千種区北千種2-1-10

地域医療と共に歩む
名古屋市立大学の附属病院群

名古屋市立大学病院

2025年4月

名古屋市総合
リハビリテーションセンター
附属病院（瑞穂区）の
医学部附属化を予定
しています

名古屋市立大学医学部附属
東部医療センター

名古屋市立大学医学部附属
西部医療センター

名古屋市立大学医学部附属
みどり市民病院

名古屋市立大学医学部附属
みらい光生病院

【第8巻】あなたが手術を受ける前に読む本

最新の手術の事情や手術が必要な病気についていろいろ紹介します
〈キーワード〉手術への不安／術後障害／がんの早期発見／心筋梗塞／脳の病気／白血病／看護

【第9巻】いのちを守る高度・専門医療 ～東部医療センターの挑戦

「断らない」救急を使命とし安全・高度な医療を提供する東部医療センターの挑戦
〈キーワード〉頭痛／甲状腺疾患／子どもの出血／がん検査／がん治療／脂肪肝／病理診断／男性不妊症／帝王切開／衛生学／防災・減災の備え

【第10巻】地域に根差し、寄り添う医療 ～西部医療センターの挑戦

がん診療連携拠点病院であり周産期センターを持つ西部医療センターの挑戦
〈キーワード〉肺疾患／鼻炎／消化管穿孔／骨折／関節リウマチ／パーキンソン病／大動脈瘤／ペースメーカー／脳卒中／腎盂腎炎／慢性腎臓病

【第11巻】いきいき心臓とはつらつ生活 ～高血圧・血管病　命を守る医療のススメ

血圧や血管のはたらきなど心臓をテーマに予防法や医療の最新情報を提供
〈キーワード〉心臓の働き／高血圧／血管病／カテーテル手術／心臓弁膜症／心臓リハビリテーション／心不全／子どもの心臓病／災害時に見られる心疾患

【第12巻】女性の新しいライフスタイルと最新医療

女性のライフステージごとの必要な知識について解説、男性にも読んでいただきたい1冊
〈キーワード〉月経／妊娠／子宮内膜症／乳がん／子宮筋腫／子宮がん・卵巣がん／膠原病／更年期障害／女性のメンタルヘルス／エイジングケア

【第13巻】ストレスとは？ ～あなたに合う生き方のヒント

体の反応や病状、対処法−ストレスを知ってストレスを制す
〈キーワード〉細胞レベルのストレス／胃の病気／睡眠／無月経／糖尿病／めまい／心理学／運動や音楽でストレス軽減／リハビリ／レジリエンス

【第14巻】意外と知らない薬の話 ～暮らしに役立つ薬の知識

その種類や効能、飲み方、注意点など薬についてじっくり解説
〈キーワード〉薬のしくみやリスク／副作用／健康食品／薬の種類／自然薬／高齢者と薬／子どもと薬／お薬手帳／薬局やドラッグストアの活用

【第15巻】チャイルドサイエンスに学ぶ 楽々子育てガイド

学童期までの育児サポート情報を収録
〈キーワード〉成長と栄養／予防接種／乳幼児健診／医療リテラシー／産後うつ／親と子の睡眠／急性疾患／アレルギー／医療的ケア児支援／エコチル調査／名古屋市の子育て支援

【第16巻】看護の世界 ～生活と健康を支える多様な看護

様々な舞台で活躍する看護師、保健師、助産師などのプロフェッショナルがわかりやすく解説
〈キーワード〉看護師／保健師／助産師／健康支援／小児看護／慢性疾患／生命危機／認知症／こころのケア／地域包括システム／訪問看護／感染予防／専門看護師／診療看護師／チーム医療

名市大ブックス 好評発売中!

各巻詳細はこちらから▶

【第17巻】予防医療が紡ぐ幸せな健康未来
～みどり市民病院・みらい光生病院の挑戦

〈キーワード〉消化器疾患／膝の機能回復／排尿障害／シニア世代の感染症／リハビリテーション医療／心不全パンデミック／物忘れ・認知症／嚥下機能／2型糖尿病

A5判　並製　124頁　定価1,000円+税

ISBN978-4-8062-0817-4　C0047　C1000

【第1巻】人生100年時代　健康長寿への14の提言

日本人の平均寿命と健康寿命の差は10年! 健康なまま生きるには?

〈キーワード〉健康寿命／心不全／高血圧／脳卒中／認知症／緑内障／めまい・ふらつき／排泄ケア／筋トレ／ロボット支援手術

【第2巻】コロナ時代をどう生きるか

医療の状況が日々変わる今、心がけておけることは。専門医から14の処方箋

〈キーワード〉withコロナ時代の救急医療・災害医療／不安／口腔ケア／タバコ／肥満／生殖医療

【第3巻】がん治療のフロンティア

2人に1人ががんになる時代、最先端の進化した治療とは?

〈キーワード〉胃がん／肺がん／肝臓がん／乳がん／膵がん／皮膚がん／前立腺がん／骨がん

【第4巻】家族を守る医療と健康

核家族化、高齢化社会、新型ウイルス感染症。一家に1冊! 新時代の家庭の医学

〈キーワード〉アレルギー／発達障害／慢性痛／在宅医療／歩行障害／予防接種ワクチン

【第5巻】医療の知識で自分を守る

人生100年時代、健やかに生きるため、あなたが今日からできること

〈キーワード〉検脈／狭心症／前立腺肥大症／OTC医薬品／慢性膵炎／人間ドック／かかりつけ医

【第6巻】支えあう人生のための医療

大切な人を守るため知っておきたい14の知識

〈キーワード〉痛み／漢方／認知症／糖尿病／尿路結石／肺炎／支えあい・助けあい

【第7巻】子育て世代が知りたい子どもの病気やライフステージの話

子どもの病気や性のこと、出産から更年期まで知っておきたいこれからの話つめこみました

〈キーワード〉生活習慣病／無痛分娩／肩の痛み／更年期障害／精神科治療／性教育

名市大ブックス⑱

データサイエンスが拓く未来

2024年7月31日　初版第1刷　発行

編　著　名古屋市立大学
発行者　古田真一
発行所　中日新聞社
〒460-8511 名古屋市中区三の丸一丁目6番1号
電話 052-201-8811（大代表）
052-221-1714（出版部直通）
郵便振替 00890-0-10
ホームページ https://www.chunichi.co.jp/corporate/nbook/
印　刷　長苗印刷株式会社
デザイン　全並大輝
イラスト　mikiko

ISBN978-4-8062-0818-1 C0047

名市大ブックスに関するご意見・ご感想を
下記メールアドレスにお寄せください。
ncu_books@sec.nagoya-cu.ac.jp
（名古屋市立大学 総務部広報室あて）

名古屋市立大学HP
名市大ブックスページ
▼